# Овощные
## и вегетарианские блюда

### Готовьте, как профессионалы!

аст • АСТРЕЛЬ
ИЗДАТЕЛЬСТВО

Москва

Издательский дом
РЕСТОРАННЫЕ
ВЕДОМОСТИ

УДК 641
ББК 36.997
О-32

**Овощные** и вегетарианские блюда. Готовьте, как профессионалы! — М.: Астрель: АСТ: Ресторан-
О-32  ные ведомости, 2011. — 192 с.: ил. — (Авторские рецепты от знаменитых шеф-поваров).

ISBN 978-5-271-35883-8 (Астрель)
ISBN 978-5-17-074674-3 (АСТ)

*Агентство CIP РГБ*

Тенденции к здоровому образу жизни и правильному питанию сегодня изменили подход к кулинарному искусству. Первую скрипку в гастрономическом оркестре все чаще играют овощи, которые стали в наше время неотъемлемой частью рациона современного горожанина. Авторы этой книги — знаменитые шеф-повара известных ресторанов — представляют читателям свои лучшие овощные и вегетарианские блюда. Многие рецепты сопровождаются иллюстрированными пошаговыми мастер-классами, наглядно демонстрирующими все этапы приготовления.

Книга рассчитана на широкий круг читателей, интересующихся актуальными направлениями в области натурального, легкого и полезного питания.

УДК 641
ББК 36.997

# СОДЕРЖАНИЕ

# ВИТАМИННЫЙ САЛАТ ИЗ СЛАДКИХ ПОМИДОРОВ С СЕЛЬДЕРЕЕМ

**Роман АГЕЕНКО —**
бренд-шеф сети кафе-пиццерий
«Академия» (Россия)

*Этот легкий летний салат из сладких помидоров, пикантного сельдерея с ароматом нерафинированного растительного масла придаст бодрости и хорошего настроения каждому гостю. Сельдерей прекрасно сочетается с овощами, мясом, рыбой, птицей, грибами, а также с фасолью, баклажанами, капустой, морковью, картофелем и сыром. Он хорошо расщепляет жиры, поэтому его рекомендуют добавлять в жирные супы (например, из гуся и утки) и в пикантные — из дичи. Сельдерей незаменим при солении овощей и приготовлении маринадов. Он повышает жизненный тонус, улучшает аппетит и богат витаминами С, В, В$_2$, РР, аминокислотами, каротином, минеральными солями калия, кальция, железа, магния, марганца, фосфора. Не менее полезны по своим питательным свойствам и помидоры. Сладкие, сочные, в сочетании с сельдереем и репчатым луком они превращают салат в настоящий кладезь витаминов. Это блюдо, несомненно, для тех, кто думает о своем здоровье.*

## ВАМ ПОНАДОБИТСЯ /в граммах/

Помидоры сладкие **300**, лук красный **3**, сельдерей маринованный **10**, соль **по вкусу**, перец белый молотый **по вкусу**, масло растительное (нерафинированное) **20**, зелень сельдерея **2**

## КАК ГОТОВИТЬ

**1, 2.** Помидоры нарезать крупными дольками, красный лук — полукольцами.

**3.** Приготовленные овощи смешать с маринованным сельдереем, порезанным соломкой, солью, белым молотым перцем, ароматным растительным маслом и маленькими веточками сельдерея.

**4.** Красиво выложить на тарелку.

# САЛАТ С БАКЛАЖАНАМИ И СЫРОМ ФЕТА

*Бренд-шеф*
**Роман АГЕЕНКО**

*Баклажаны привезли в Европу из Азии и Африки в средние века, а помидоры доставили из Центральной и Южной Америки лишь в XVI веке. Средиземноморская кухня быстро приняла «пришельцев» из тропиков, однако жители Северной Европы еще долго относились к ним с недоверием. Особую популярность эти овощи обрели на Балканах. В представленном блюде гармонично сочетаются баклажаны, помидоры и овечий сыр фета.*

## ВАМ ПОНАДОБИТСЯ /в граммах/

Салат лоло-росса **15**, салат латук **15**, салат руккола **15**, баклажаны **70**, масло оливковое **1 ст. л.**, помидоры черри **35**, сыр фета **50**, заправка салатная **25**, соль **по вкусу**, лук репчатый красный **3**, зелень петрушки **1/2 ч. л.**

**Заправка салатная:** чеснок (зубчик) **5**, уксус белый винный **1 ст. л.**, масло растительное **1/2 стакана**, горчица дижонская **1 ч. л.**, орегано сушеный **по вкусу**

## КАК ГОТОВИТЬ

**1.** Нарвать салаты лоло-росса и латук, руккколу перебрать.

**2, 3.** Баклажаны нарезать крупными ломтиками и обжарить на оливковом масле до золотистого цвета.

**4, 5.** Помидоры черри поделить на половинки и 1/2 часть положить в салат. Сыр фета порезать средними кубиками и также поместить 1/2 часть в салат.

**6, 7.** В полученное блюдо добавить обжаренные ломтики баклажанов, полить 1/2 частью салатной заправки, посолить, аккуратно перемешать и выложить на тарелку.

**8.** Сверху украсить полукольцами красного репчатого лука, затем оставшимися половинками помидоров черри и кубиками сыра фета.

В завершение сверху полить оставшейся салатной заправкой и посыпать рубленой петрушкой.

## Заправка салатная

Зубчик чеснока разрезать на три части, залить белым винным уксусом, растительным маслом, добавить дижонскую горчицу и орегано. Тщательно взбить венчиком, перелить в бутылку и поставить в холодильник. Перед подачей хорошенько встряхнуть.

# САЛАТ С КЕНИЙСКОЙ ФАСОЛЬЮ

**Антонио БАРАТТО** — до недавнего времени бессменный шеф-повар знаменитого ресторана Sirena (Москва). Работал в ресторанах George's, Vinera Tre Biccheri Ostia и La Tacita Roccantica Country Club, был шеф-консультантом ресторанов Аркадия Новикова «Ветерок» и «Болоньезе»

*В этом блюде я использую одну из самых дорогих и популярных разновидностей зеленой стручковой фасоли — кенийскую. Она родом из Африки, имеет длинные, тонкие темно-зеленые стручки, сладковатые на вкус, с ореховым оттенком. Как и любую стручковую фасоль, ее следует отваривать в кипящей воде, а лучше бланшировать. Обычная фасоль готовится в кипящей воде 5—6 минут, на пару — 8—10, кенийская же — еще быстрее. После отваривания ее надо поместить в лед или в воду со льдом, чтобы сохранить яркий зеленый цвет и приятную текстуру. Кенийскую фасоль можно использовать в качестве гарнира к мясу и рыбе, а также добавлять в салаты.*

## ВАМ ПОНАДОБИТСЯ /в граммах/

Картофель **100**, фасоль кенийская **100**, вода **350**, яйцо **1/2 шт.**, сыр таледжио **50**, помидоры **25**, орех грецкий **5**, масло оливковое **15**, соль морская **1**

## КАК ГОТОВИТЬ

**1.** Картофель отварить в подсоленной воде, очистить от кожуры и нарезать дольками.

**2.** Кенийскую фасоль также отварить в подсоленной воде.

**3.** Предварительно сваренные яйца разделить на дольки.

**4, 5.** Сыр таледжио нарезать кубиками.

**6.** У помидоров удалить плодоножку, очистить их от семян, поделить на дольки.

**7.** Измельчить грецкие орехи и соединить их с сыром таледжио, помидорами, кенийской фасолью, теплым картофелем. Перемешать, заправить оливковым маслом, посолить.

**8.** Выложить на тарелку, украсив дольками яиц.

# САЛАТ ИЗ ОВОЩЕЙ-ГРИЛЬ

**Алан БЕРРИ**
работал шеф-поваром
ресторана «Марриотт
Грандъ» (Россия)

*Мне нравится средиземноморский дух этого салата,
который насыщен запахами тимьяна и розмарина.
Аромат усилен такой же приятной заправкой.
Готовится блюдо просто, быстро и является, по
моему мнению, всесезонным — оно может быть
одинаково востребовано и в летнем, и в зимнем меню.*

## ВАМ ПОНАДОБИТСЯ /в граммах/

Цуккини **40,** баклажаны **40,** сельдерей (стебель) **20,** картофель сладкий **40,** перец сладкий болгарский (любого цвета) **40,** чеснок (головка) **1 шт.,** шампиньоны **25,** перец чили **4,** сок лимона свежевыжатый **30,** масло оливковое **100,** тимьян **4,** розмарин **5,** кориандр **1,** орегано **1,** спаржа зеленая **30,** лук-шалот **30,** помидоры черри (на ветке) **50,** заправка для салата **15,** лук зеленый **2,** тимьян (веточка) **1 шт.**

**Заправка для салата:** масло оливковое с вялеными помидорами **7,** уксус бальзамический **7**

## КАК ГОТОВИТЬ

**1.** Крупно порезать овощи (цуккини, баклажаны, стебель сельдерея, сладкий картофель, болгарский перец, чеснок) и шампиньоны (можно использовать разные овощи в зависимости от сезона).

**2.** Подготовленные продукты на 30 минут поместить в маринад из перца чили, свежевыжатого лимонного сока, оливкового масла, тимьяна, розмарина (4 г), кориандра, орегано.

**3.** В течение 2—3 минут готовить на раскаленном до 300°C гриле. Обжарить так же зеленую спаржу и лук-шалот.

**4.** Поставить все в разогретую до 180°C духовку на 10 минут.

**5.** Помидоры черри (на ветке) обжарить на раскаленном гриле в течение 5—10 секунд и затем на 3 минуты поместить в духовку, разогретую до 150°C.

**6.** Выложить все обжаренные овощи на тарелку, полить заправкой для салата. Украсить зеленым луком, листиками розмарина (1 г) и веточкой тимьяна.

### Заправка для салата

Оливковое масло с вялеными помидорами соединить с бальзамическим уксусом.

# САЛАТ ИЗ СПАРЖИ С ЯЙЦОМ-ПАШОТ, СЫРОМ ПЕКОРИНО И ОРЕХАМИ КЕШЬЮ

Шеф-повар
**Алан БЕРРИ**

*Этот салат хорош весной, когда появляется свежая спаржа, которую ценители ждут целый год. Яйцо-пашот прекрасно дополняет спаржу, и я советую подавать его теплым. Желток вместе с заправкой даст изумительный вкусовой эффект.*

## ВАМ ПОНАДОБИТСЯ /в граммах/

Яйцо куриное **1 шт.,** уксус белый **1 ст. л.,** спаржа белая **140,** сок лимонный **из 1 шт.,** сыр пекорино **10,** помидоры **15,** лук зеленый **3,** орехи кешью **10,** уксус бальзамический **10,** масло оливковое **10,** масло оливковое с вялеными помидорами **20,** салат-микс (кервель, лоло-росса, шизо, радичио) **20,** редис **20,** соль морская Fleur de Sel **по вкусу,** базилик красный свежий **3,** кориандр свежий **5,** лук-сибулет **2**

## КАК ГОТОВИТЬ

**1.** Сварить яйцо-пашот в кипящей воде с добавлением белого уксуса.

**2, 3.** Белую спаржу подрезать и зачистить.

**4.** Отваривать в течение 5—6 минут в воде с добавлением сока лимона, чтобы поверхность стала мягкой, но внутри спаржа оставалась упругой.

**5, 6, 7.** Сделать заправку для салата: мелко нарезать сыр пекорино, помидоры, зеленый лук и орехи кешью, смешать с бальзамическим уксусом, оливковым маслом и оливковым маслом с вялеными помидорами.

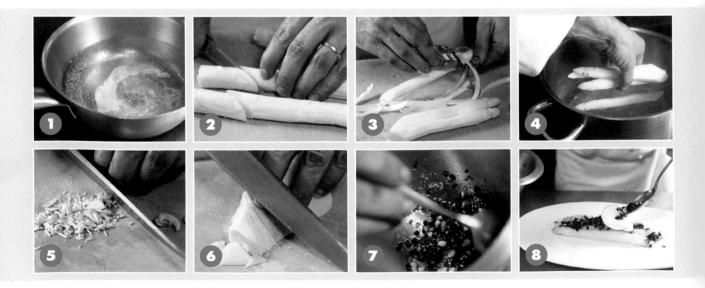

**8.** 1/4 часть заправки смешать с салатом-микс, с нарезанным редисом и солью Fleur de Sel.

На тарелку выложить отваренную спаржу, на нее заправку (2/4 части), затем яйцо-пашот. Сверху распределить оставшуюся заправку, а рядом разместить салат-микс. Декорировать листиками красного базилика, кориандра и луком-сибулетом.

# СЫР БУРРАТА ПУЛЬЕЗЕ С ОБЖАРЕННЫМИ ПОМИДОРАМИ

**Андреа ГАЛЛИ —** шеф-повар ресторана «Черри Мио». Получил диплом государственного института гостиничного управления A. Panzini, работал в ресторанах Fellini (Дания), Aimo e Nadia, Emilia e Carlo (Италия). Возглавляет «Кулинарную академию Романа Рожниковского»

*Сыр буррата пульезе, состоящий из сочной моццареллы (снаружи) и нежных сливок (внутри), поданный с ароматными помидорами банч и оливковым маслом Extra Virgin, больше ни в чем не нуждается.*

## ВАМ ПОНАДОБИТСЯ /в граммах/

Помидоры банч **150**, соль **2**, перец черный молотый **1**, масло оливковое Extra Virgin **15**, салат фризе **5**, салат руккола **10**, сыр буррата пульезе **240**, соус «Песто» из базилика **30**, базилик зеленый (листик) **1**

**Соус «Песто» из базилика:** базилик зеленый **50**, масло оливковое Extra Virgin **100**, орешки кедровые **20**, чеснок **2**, соль **по вкусу**, перец черный молотый **по вкусу**, сыр пармезан тертый **20**

## КАК ГОТОВИТЬ

**1.** Помидоры банч разрезать пополам, посолить, поперчить и полить оливковым маслом (10 г).

**2.** Обжарить на гриле с двух сторон.

**3.** Приготовленные помидоры выложить на тарелку.

**4.** Сверху разместить салатные листья, посолить, поперчить, сбрызнуть оливковым маслом (5 г).

**5.** На салатные листья выложить сыр буррата пульезе, украсить соусом «Песто» и листиком зеленого базилика.

**6.** Перед подачей аккуратно разрезать сыр сбоку маленьким ножичком.

### Соус «Песто» из базилика

Зеленый базилик, оливковое масло, кедровые орешки, чеснок, соль, черный молотый перец соединить и пробить блендером. Затем добавить тертый сыр пармезан и хорошо перемешать.

# ТАРТАР ИЗ АРТИШОКОВ И АВОКАДО

**Паоло ГРАМАЛЬЯ**
работал шеф-поваром-
консультантом ресторана
«Капри» (Россия)

*Утонченный и изысканный вкус артишока
в композиции с авокадо в этом блюде
дарит гостям то неповторимое сочетание,
которое так высоко ценится
настоящими гурманами.*

## ВАМ ПОНАДОБИТСЯ /в граммах/

Артишок **70**, лимон **1 шт.**, соус для заправки **10**, помидоры конкассе **40**, авокадо **50**, соль **по вкусу**, перец белый молотый **по вкусу**, масло оливковое **3**, свекла **2**, морковь **2**, уксус бальзамический **3**, базилик зеленый **1**

**Соус для заправки:** имбирь свежий **5**, морковь **5**, сельдерей (корень) **5**, лук-сибулет **2**, масло оливковое **20**, сок лимонный **15**, соль **по вкусу**

## КАК ГОТОВИТЬ

**1, 2.** Артишок очистить: отломить внешние грубые листья, подстричь нежные, внутренние.

**3.** Тщательно натереть лимоном.

**4.** Мясистую сердцевину артишока освободить от ворсинок.

**5.** Нарезать артишок мелкими кубиками и заправить заранее приготовленным соусом. Также мелкими кубиками нарезать помидоры конкассе и авокадо.

**6.** На тарелку с помощью сервировочного кольца слоями выложить тартар

из артишоков, затем — из помидоров и авокадо. Посолить и поперчить, добавить оливковое масло.

**7.** Сверху украсить тонко нарезанной соломкой из свеклы и моркови. Блюдо декорировать бальзамическим уксусом и листиками зеленого базилика.

## Соус для заправки

Свежий имбирь натереть на терке, морковь и корень сельдерея нарезать мелкими кубиками. Лук-сибулет мелко нарезать. Перемешать. Заправить оливковым маслом, добавить лимонный сок и соль.

# ЛЕТНИЙ САЛАТ

**Андрей КОНОНОВ —** шеф-повар отеля «Ренессанс» (Россия)

*Летний салат — традиционное блюдо русской кухни, наполненное хрустящей свежестью зеленых листьев и овощей будто только что с грядки. Центральным компонентом здесь является редис. Эта разновидность редьки считается одной из древнейших культур, причем его скороспелость позволяет использовать его чуть ли не круглый год. Редис — первый свежий овощ, который появляется на рынках после длинного зимнего перерыва. Он легок и вместе с тем полезен, поскольку содержит калий, кальций, натрий, магний, фосфор, железо, витамины С и РР. В нем есть и горчичные масла, придающие овощу своеобразный привкус.*

## ВАМ ПОНАДОБИТСЯ /в граммах/

Редис **13,** огурец **15,** листья салата айсберг **20,** листья салата фризе **20,** листья салата лоло-росса **20,** листья салата радичио **20,** масло оливковое **5,** уксус бальзамический **5,** соль **2,** яйцо перепелиное **20**

## КАК ГОТОВИТЬ

**1, 2.** Нарезать редис кружками, огурец — соломкой.

**3, 4.** Нарвать листья салатов айсберг, фризе, лоло-росса, радичио и соединить с нарезанным соломкой огурцом, заправить оливковым маслом, бальзамическим уксусом и солью. Перемешать.

**5.** Приготовленный салат выложить горкой на тарелку.

**6.** Сверху разместить кружки редиса. Можно декорировать вареными перепелиными яйцами, разрезанными пополам.

# САЛАТ С КОЗЬИМ СЫРОМ И СВЕКОЛЬНЫМ ПАРФЕ

**Евгений СЕЛЕЗНЕВ** — шеф-повар ресторана Bed Cafe (Россия). Прошел стажировку в легендарной французской кулинарной школе «Вотель»

*Этот салат с обжаренным козьим сыром родился из моих старых рецептов. В сегодняшнем исполнении я решил добавить к нему перуанский кисло-сладкий соус (с ним часто подают севиче из морепродуктов) и воздушную свеклу. Получилось очень нестандартное и вкусное блюдо.*

## ВАМ ПОНАДОБИТСЯ /в граммах/

Сыр козий **70**, яйцо **1 шт.**, сухари панировочные **50**, масло оливковое **25**, спаржа зеленая **100**, соль **по вкусу**, соус перуанский **80**, свекольное парфе **30**, салат листовой **20**, тимьян (веточка) **1 шт.**, лук-сибулет **3**

**Соус перуанский:** перец болгарский красный **150**, лук красный **150**, лайм (сок) **30**, уксус винный **120**, масло оливковое **100**, соус «Табаско» **20**, соус соевый **50**, розмарин свежий (листики) **3**, крахмал **10**

**Свекольное парфе:** свекла **600**, майонез **100**, сливки взбитые **300**, желатин **20**, соль **10**

## КАК ГОТОВИТЬ

**1, 2, 3.** Кружки козьего сыра обмакнуть в яйце, обвалять в панировочных сухарях и обжарить на оливковом масле (20 г) с двух сторон до золотистого цвета.

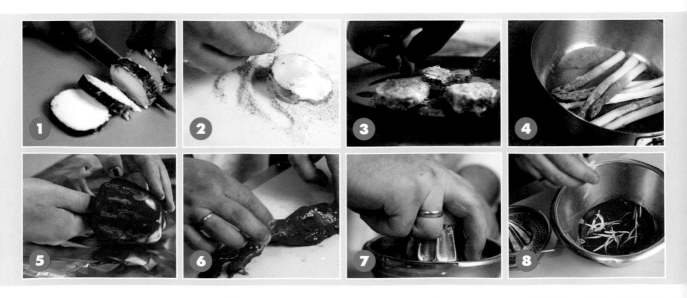

**4.** Зеленую спаржу разрезать на продольные половинки и немного бланшировать в подсоленной воде.

**5, 6, 7.** Приготовить перуанский соус.

**8.** Сделать свекольное парфе.
Бланшированную спаржу разместить на тарелке, сверху полить перуанским соусом (30 г), выложить обжаренный в панировке теплый козий сыр, свекольное парфе, рядом — листья салата. Заправить оливковым маслом (5 г), украсить веточкой тимьяна и лукомсибулетом. Отдельно подать перуанский соус (50 г).

## Соус перуанский

Болгарский красный перец завернуть в фольгу и запечь в духовке при 220°C. Снять кожицу и нарезать соломкой. Красный лук также нарезать соломкой. Выжать сок лайма. Соединить подготовленные ингредиенты с винным уксусом, оливковым маслом, соусом «Табаско», соевым соусом, листиками розмарина, затянуть крахмалом.

## Свекольное парфе

Свеклу отварить, очистить от кожуры, охладить и протереть через сито. Добавить майонез, взбитые сливки, желатин и посолить.

# САЛАТ С АВОКАДО

*Шеф-повар*
**Евгений СЕЛЕЗНЕВ**

*Идея салата с авокадо берет начало от русского винегрета. В данном авторском варианте я заменил все ингредиенты, получив блюдо с ярким, своеобразным вкусом и неординарной подачей. Пока рецепт его был в разработке, я планировал дополнить им какое-нибудь рыбное блюдо или морепродукты, но в результате салат получился настолько индивидуальным и по сочетанию, и по исполнению, что я его оставил как отдельную позицию в меню.*

## ВАМ ПОНАДОБИТСЯ /в граммах/

Авокадо **70**, яблоко зеленое **50**, руккола **20**, орех кедровый **5**, заправка **15**, сыр пармезан **10**, помидоры черри **50**, масло оливковое **1**, кунжут белый **1**, салат листовой **20**

**Заправка:** уксус винный **12**, горчица **9**, мед **7**, масло оливковое **61**, соус соевый **11**

## КАК ГОТОВИТЬ

**1, 2.** Авокадо и зеленое яблоко очистить от кожуры и сердцевины, нарезать ломтиками.

**3, 4.** Рукколу мелко нарезать и соединить с авокадо и яблоком. Добавить кедровые орешки, заправку и перемешать.

**5.** С помощью сервировочного кольца выложить салат на тарелку. Кольцо снять.

**6.** Сыр пармезан порезать тонкими пластинками на слайсере и разместить веером на салате.

**7, 8.** Помидоры черри сбрызнуть оливковым маслом и обвалять в белом кунжуте. Украсить ими блюдо, выложив на листья салата.

**Заправка**

Винный уксус, горчицу и мед взбить блендером и, не переставая размешивать, влить тонкой струйкой оливковое масло. В конце добавить соевый соус.

# САЛАТ С КОЗЬИМ СЫРОМ

Андрей
**ТЫСЯЧНИКОВ**
работал шеф-поваром
ресторанов «Джу-джу»
(Россия), «Пират»,
Red Hills, «Греческая
смоковница», Concorde,
«Бисквит». Прошел стажировку в одном из
«мишленовских» ресторанов Испании

*В этом салате используется интересное сочетание свежих хрустящих листьев с бланшированными овощами и мягким козьим сыром. Из-за его изысканного вкуса многие относят шавру к категории сыров «для особых случаев» наряду с нежными камамбером, рокфором, дор блю. Любопытна здесь и заправка, идея которой принадлежит Аркадию Новикову. Я же внес свои авторские коррективы. Блюдо получилось вкусным.*

## ВАМ ПОНАДОБИТСЯ /в граммах/

Салат-микс **80**, мини-морковь **15**, мини-спаржа **20**, соль **по вкусу**, помидоры бакинские **50**, яйцо **1 шт.**, соус медово-лимонный **40**, сыр козий мягкий шавру **80**, аджика **15**, лук зеленый **3**, базилик зеленый **1**

**Соус медово-лимонный:** сок лимонный **10**, масло оливковое **20**, мед **15**

## КАК ГОТОВИТЬ

1. Порвать листья салата-микс. Мини-морковь и мини-спаржу бланшировать в подсоленной воде 1—2 минуты. Бакинские помидоры разделать. Яйцо отварить в мешочек. Остудить. Очистить от скорлупы.

2. Заправить салат-микс медово-лимонным соусом.

3. Перемешать, положить на тарелку.

4. Сверху разместить бланшированные морковь, спаржу, а также дольки помидоров.

**5.** Козий сыр шавру нарезать произвольно и выложить на салат.

**6.** Приправить аджикой, мелкорубленым зеленым луком. Декорировать половинками яйца и веточкой зеленого базилика.

## Соус медово-лимонный

В лимонный сок добавить оливковое масло и мед. Взбить венчиком до однородной массы.

# САЛАТ ИЗ МОЛОДОЙ СВЕКЛЫ С СЫРОМ

**Сергей ВЕКШИН** — шеф-повар ресторана GQ Bar. В 2007 году выиграл Московский чемпионат по итальянской кухне, проходивший в рамках V международного кулинарного салона «Мир ресторана», получил возможность стажироваться в университете ALMA (Италия) — ведущей международной школе итальянской кухни

*Свекла — витаминная кладовая, которая поддерживает человека, когда силы на исходе. Она оказывает общеукрепляющее действие, улучшает пищеварение и обмен веществ в организме. Кроме того, являясь источником витамина С, меди и фосфора, она способствует выведению токсинов. Сыр богат аминокислотами, он сделан из молока, все полезные свойства которого представляет в концентрированном виде. А ростки сои — мощный источник белка. Все вместе — вкусно и чрезвычайно полезно.*

## ВАМ ПОНАДОБИТСЯ /в граммах/

**Бальзамик свекольный:** сок свекольный **500**, уксус бальзамический **20**, сахар **10**

**Салат из свеклы с сыром:** свекла **250**, лук крымский красный **10**, листья свеклы **30**, орехи кедровые **10**, ростки сои **20**, соль **1**, перец черный молотый **1**, масло оливковое **20**, сыр шавру **40**, бальзамик свекольный **10**

## КАК ГОТОВИТЬ

### Бальзамик свекольный

Свекольный сок выпарить в четыре раза, смешать с бальзамическим уксусом и сахаром.

### Салат из свеклы с сыром

1. Свеклу отварить до готовности, очистить и нарезать крупными кубиками.
2. Крымский лук нарезать полукольцами.
3, 4. Нарезанные свеклу и лук смешать с листьями свеклы, кедровыми орешками и ростками сои.

**5, 6.** Посолить, поперчить, заправить оливковым маслом и перемешать.

**7, 8.** Выложить салат на тарелку, сверху поместить сыр шавру и полить свекольным бальзамиком.

# САЛАТ С ОСЬМИНОГОМ, ВЯЛЕНЫМИ ПОМИДОРАМИ, РУККОЛОЙ И «ПЕСТО» С ЧЕРНЫМИ МАСЛИНАМИ

**Нико ДЖОВАНОЛИ —** шеф-повар ресторанов отеля «Балчуг Кемпински Москва» (Россия). Работал в немецком ресторане Rodenberg, в швейцарском Flueela Davos, а также в Palace Hotel Luzern

*Салат с осьминогом — моя авторская находка. Его оригинальность — в сочетании ингредиентов. Нежный на вкус, слегка отваренный и маринованный в специях и травах осьминог вкупе с пикантными вялеными помидорами, салатом руккола и первоклассным оливковым маслом производит просто взрыв эмоций и ощущений.*

## ВАМ ПОНАДОБИТСЯ /в граммах/

**Осьминог маринованный:** морковь **1 шт.**, стебель сельдерея (нижняя часть) **1 шт.**, осьминог **100**, масло оливковое **5**, сок лимонный **4**, чеснок **2**, лук-шалот **2**, тимьян свежий **2**, розмарин свежий **2**, соль **по вкусу**, перец черный молотый **по вкусу**

**Салат с осьминогом:** помидоры вяленые **10**, маслины черные б/к **20**, салат руккола **20**, осьминог маринованный **80**, масло оливковое **10**, сок лимонный **5**, соль **по вкусу**, перец белый молотый **по вкусу**

**Соус «Песто оливковый»:** масло оливковое **5**, маслины черные б/к **10**, сок лимонный **5 капель**, соль **по вкусу**, перец черный молотый **по вкусу**

**Сервировка:** салат с осьминогом **145**, помидоры черри **2 шт.**, салат руккола **10**, соус «Песто оливковый» **15**, масло оливковое **5**, соус «Бальзамик» **5**

## КАК ГОТОВИТЬ

### Осьминог маринованный

**1.** Морковь и стебель сельдерея крупно нарезать.

**2.** Положить в кастрюлю с водой нарезанные морковь, сельдерей и осьминога. Варить осьминога до готовности. Вареного осьминога выдержать 3 часа в маринаде из оливкового масла, лимонного сока, чеснока, лука-шалота, свежего тимьяна и розмарина, соли и черного молотого перца.

**3.** Маринованного осьминога нарезать небольшими кубиками.

### Салат с осьминогом

**4.** Нарезать вяленые помидоры. Мелко порезать черные маслины без косточек.

**5.** Нашинковать салат руккола.

**6,7.** Перемешать маринованного осьминога с нарезанными вялеными помидорами, маслинами и рукколой, заправить оливковым маслом, лимонным соком и довести до вкуса солью и белым молотым перцем.

### Соус «Песто оливковый»

Оливковое масло смешать с черными маслинами без косточек и лимонным соком.

Добавить соль, черный молотый перец и пробить в блендере.

### Сервировка

**8.** На середину тарелки с помощью сервировочного кольца выложить салат с осьминогом. Кольцо снять. Рядом положить половинки помидоров черри, сверху — листья рукколы.

**9.** Вокруг полить соусом «Песто оливковый», оливковым маслом и соусом «Бальзамик».

# САЛАТ ИЗ ХРУСТЯЩИХ ОВОЩЕЙ И ПОМИДОРОВ КОНФИ

**Эрик Ле ПРОВО —** шеф-повар ресторана Carre Blanc (Россия). Лауреат ресторанной премии «Серебряный черпак» в номинации лучшего шеф-повара Москвы

*Несмотря на простоту, этот салат — одно из лучших и популярных блюд ресторана. Все продукты сполна отдают свои вкусы, которые, смешиваясь, образуют необыкновенно богатый букет ощущений. Секрет кроется в совмещении вареных, запеченных, маринованных и сырых овощей, в дополнении их трюфельным маслом и в украшении тонкими ломтиками острого сыра пармезан.*

## ВАМ ПОНАДОБИТСЯ /в граммах/

**Заправка для салата:** масло грецкого ореха **200**, горчица зернистая **40**, уксус винный белый **50**, масло оливковое **400**, сок лимонный **100**, соль **по вкусу**, перец белый молотый **по вкусу**

**Салат из овощей:** спаржа зеленая **120**, морковь **60**, сельдерей (стебель) **120**, фасоль стручковая **60**, цуккини **120**, заправка для салата **50**

**Помидоры черри и конфи из помидоров:** помидоры черри **20**, помидоры **100**, тимьян свежий **2**, чеснок **2**

**Салатный микс с фенхелем:** салат фризе **90**, салат оаклиф **90**, лук-шалот **45**, фенхель **90**, сок лимонный **1/2 лимона**, заправка для салата **50**, микс пряных трав **3**

**Сервировка:** артишок маринованный **20**, помидоры черри и конфи из помидоров **20**, салат из овощей **80**, салатный микс с фенхелем **60**, сыр пармезан **20**, орешки кедровые **5**, соус «Песто» **6**, масло трюфельное **30**

# КАК ГОТОВИТЬ

## Заправка для салата

Масло грецкого ореха соединить с зернистой горчицей и винным белым уксусом, добавить смесь оливкового масла с лимонным соком, соль и белый молотый перец. Все перемешать.

## Салат из овощей

Зеленую спаржу, морковь, стебель сельдерея, зеленую фасоль и цуккини вымыть и почистить.

1. Морковь, стебель сельдерея и цуккини нарезать соломкой и бланшировать в кипящей воде. Затем откинуть в воду со льдом.
2. Зеленую фасоль и спаржу бланшировать и откинуть в воду со льдом для сохранения цвета и текстуры.
3. Нарезать произвольно.
4. Соединить подготовленные овощи, полить заправкой.

## Помидоры черри и конфи из помидоров

Бланшировать помидоры черри, снять с них кожицу. Черри отложить. Помидоры очистить от семян.

5. Готовые помидоры разрезать на дольки, выложить на противень, добавить свежий тимьян, чеснок и поставить в духовку на 5 часов при температуре 60°С.

## Салатный микс с фенхелем

Салаты фризе и оаклиф вымыть в большом количестве воды с добавлением винного уксуса. Добавить мелко порубленный лук-шалот.

6, 7. Вымыть фенхель, нарезать ломтиками, поместить в холодную воду с лимонным соком, затем полить заправкой для салата. Добавить микс пряных трав и перемешать.

## Сервировка

8. Выложить на тарелку маринованный артишок, дольки помидоров конфи и помидор черри.
9. Сверху положить салат из овощей. Затем — салатный микс с фенхелем. Украсить салат ломтиками сыра пармезан и кедровыми орешками. Декорировать соусом «Песто» и трюфельным маслом.

# ЛИСТЬЯ ЗЕЛЕНОГО САЛАТА С БАКИНСКИМИ ПОМИДОРАМИ, СЕЛЬДЕРЕЕМ И КРАСНЫМ ЛУКОМ

**Дмитрий ЯКОВЛЕВ**
работал шеф-поваром
ресторана I Fiori (Россия)

*Легкий летний салатик быстрого приготовления. Бакинские помидоры имеют плотную мякоть и потрясающий сладкий вкус. Пикантность и чуточку остроты салату придает красный лук. Он содержит витамины В и С, железо, кальций и калий и вместе с сельдереем и салатными листьями делает блюдо волшебным по красоте и пользе.*

## ВАМ ПОНАДОБИТСЯ /в граммах/

Лук красный **30,** помидоры бакинские **70,** сельдерей (стебель) **50,** салат лоло росса **10,** салат руккола **10,** салат фризе **10,** листья свеклы **10,** соль **по вкусу,** перец черный молотый **по вкусу,** масло оливковое **25,** кунжут (черный, белый) **2**

## КАК ГОТОВИТЬ

**1, 2.** Красный лук нарезать полукольцами, бакинские помидоры — дольками, а стебель сельдерея — тонкими ломтиками.

**3.** В миску с листьями салатов лоло росса, руккола, фризе, листьями свеклы добавить подготовленные овощи.

**4.** Посыпать солью, черным молотым перцем, заправить оливковым маслом и хорошо перемешать.

**5, 6.** Выложить салат на тарелку и посыпать черными и белыми семенами кунжута.

# ОВОЩНОЙ САЛАТ «МИСТА»

**Сергей КЛЮЧАНСКИЙ**
работал шеф-поваром
ресторана «Каприччо»

## ВАМ ПОНАДОБИТСЯ /в граммах/

Салат латук **30**, салат фризе **30**, салат лоло-росса **30**, салат руккола **30**, огурцы **25**, перец сладкий **25**, морковь **25**, фенхель **25**, лук-порей **12**, помидоры черри **75**, лук-резанец **2**

## КАК ГОТОВИТЬ

- Салаты промыть и просушить.
- Огурцы, перец, морковь, фенхель и лук-порей нарезать тонкими ломтиками, помидоры оставить целыми на ветке.
- Все ингредиенты уложить на тарелку и украсить луком-резанцем.
- К салату подходит любая заправка.

# САЛАТ С ЯЙЦОМ, РУККОЛОЙ И СПАРЖЕЙ

## ВАМ ПОНАДОБИТСЯ /в граммах/

Яйцо **1 шт.,** спаржа **35,** салат руккола **15,** масло оливковое **15,** сыр пекорино **12,** помидоры черри **35,** орехи кешью **5,** перец черный молотый **1**

## КАК ГОТОВИТЬ

- В кипящую подсоленную воду выпустить яйцо и варить не более 3—4 минут, остудить.
- Спаржу очистить и бланшировать.
- Рукколу заправить оливковым маслом.
- На тарелку выложить рукколу, спаржу, яйцо и посыпать тертым сыром.
- Оформить блюдо помидорами черри, орехами кешью и черным молотым перцем.

*Шеф-повар*
**Сергей КЛЮЧАНСКИЙ**

# КРЕВЕТОЧНЫЙ САЛАТ С СЫРОМ ПАРМЕЗАН И АВОКАДО

**Вильям ЛАМБЕРТИ**
работает в ресторанной компании Ginza Project (Россия), где ведет рестораны «Балкон», Blackberry и Buono в гостинице «Украина». Работал в ресторанах: Enoteca Pinchiorri (Флоренция, 3 звезды Michelin), Lucas Carton, Halkin, «Галерея». Открывал московский ресторан «Пирамида», ставил кухню в ресторане «Грандъ-Опера»

## ВАМ ПОНАДОБИТСЯ /в граммах/

Салат руккола **50**, петрушка **8**, укроп **4**, кинза **2**, лук репчатый **5**, помидоры черри-банч **60**, соус «Биск» ореховый **30**, креветки 16/20 **93**, масло оливковое **5**, чеснок **2**, тимьян **1**, масло топленое **15**, авокадо очищенное **20**, семя кунжутное **1**, сыр пармезан **15**

**Соус «Биск» ореховый:** соус «Биск» **500**, чеснок очищенный **8**, масло грецкого ореха **80**, масло растительное **400**, уксус винный **20**, горчица **10**, соус «Табаско» **3**, соус соевый **10**, соль **1**, перец черный молотый **1**

**Соус «Биск»:** крабы **1000**, коньяк **20**, вода **3000**, сельдерей **30**, лук-шалот **20**, морковь **30**, лук репчатый **20**, тимьян **10**, помидоры **200**, паста томатная **100**

## КАК ГОТОВИТЬ

- Рукколу смешать с измельченной зеленью: петрушкой (4 г), укропом, кинзой и мелко нарезанным луком.
- Подготовленный салат и помидоры заправить ореховым соусом «Биск» и выложить на тарелку.
- Креветок обжарить на оливковом масле с добавлением чеснока, тимьяна, топленого масла и рубленой петрушки (4 г).
- Креветок и авокадо, порезанное пополам, выложить на тарелку, посыпать кунжутом и украсить кусочками сыра пармезан.

### Соус «Биск» ореховый
- Соус «Биск» выпарить до 1/3.
- Добавить чеснок, масло грецкого ореха, растительное масло, винный уксус, гор-

чицу, соус «Табаско», соевый соус, соль и перец.
- Взбить в блендере и процедить.

### Соус «Биск»
- Крабов очистить и обжарить в духовке с конвекцией. Фламбировать коньяком и пробить в блендере как можно мельче.
- Залить водой до покрытия крабов с запасом 3—4 см, добавить сельдерей, лук-шалот, морковь, лук репчатый и тимьян.
- После закипания добавить помидоры и томатную пасту. (Цвет бульона должен быть красноватым.)
- Варить 1 час при медленном кипении.
- Снять, процедить и протереть крабовую массу через сито. Выпарить на 1/3.

# САЛАТ «САЛЬСА»

**Роман САЙФУР —**
шеф-повар ресторана «Ранчо»

## ВАМ ПОНАДОБИТСЯ /в граммах/

Перец болгарский **40**, огурцы **40**, помидоры черри **40**, манго **40**, салат айсберг **30**, перец чили **10**, сок лайма **10**, масло горчичное **10**, соль **1**, начос **4 шт.**, карамбола **20**

## КАК ГОТОВИТЬ

- Перец, огурцы, помидоры и манго нарезать кубиками.
- Порвать листья айсберга.
- Чили (без семян) мелко нарубить.
- Все смешать и добавить сок лайма, горчичное масло и соль.
- Выложить на тарелку и украсить начосом и карамболой.

# КАРПАЧЧО ИЗ ПОМИДОРОВ С РУККОЛОЙ

**Елена ЛЯМИНА** — шеф-повар клуба-ресторана «Мясной Клуб»

## ВАМ ПОНАДОБИТСЯ /в граммах/

Помидоры **150**, соль **по вкусу**, перец черный молотый **по вкусу**, салат руккола **20**, масло оливковое **20**, лук красный **10**

## КАК ГОТОВИТЬ

• Помидоры нарезать тонкими пластинками, выложить на тарелку по кругу, посолить, поперчить. Рукколу заправить оливковым маслом, солью, перцем, смешать с красным луком, нарезанным тонкой соломкой, и выложить в центр блюда на помидоры.

# ГРЕЧЕСКИЙ САЛАТ С ОБЖАРЕННЫМ СЫРОМ ФЕТА И ТАПЕНАДЕ ИЗ ЧЕРНЫХ ОЛИВОК

**Паникос ХАДЖИТОФИС —**
главный шеф-повар
Four Seasons

## ВАМ ПОНАДОБИТСЯ /в граммах/

**Греческий салат:** сыр фета **250,** мини-фенхель (луковицы) **4 шт.,** мини-морковь **8 шт.,** лук зеленый (перышки) **4 шт.,** помидоры черри **8 шт.,** мини-салат латук (сердцевина) **2 шт.,** огурец, нарезанный соломкой **50,** спаржа (зеленые побеги) **8 шт.,** каперсы **16 шт.,** редис, нарезанный на четвертинки **4 шт.,** лук красный **12 шт.,** руккола (мини-листья) **16 шт.,** кориандр (листья) **16 шт.,** масло оливковое **20,** уксус хересный **8,** орегано **1**

**Тапенаде:** пюре из черных оливок **250,** масло оливковое **50**

**Томатная сальса:** масло оливковое **20,** лук-порей, мелко нарезанный **100,** лук зеленый, мелко нарезанный **100,** чеснок, мелко нарубленный **2 зубчика,** паста томатная **50,** томаты свежие (без кожицы и семечек) **500,** лист лавровый **1 шт.,** чабрец **10,** розмарин **10,** базилик **10,** соль **по вкусу,** перец черный молотый **по вкусу,** мед **20**

**Сервировка:** сальса томатная **80,** салат греческий **130,** сыр фета обжаренный **80,** тапенаде **30,** базилик (для украшения) **1**

## КАК ГОТОВИТЬ

### Греческий салат

- Нарезать сыр фета (160 г) кубиками и замариновать вместе со всеми овощами и травами в прованской заправке из оливкового масла, уксуса и орегано. Оставить на полчаса.
- Положить сыр фета (90 г) под разогретый гриль и жарить до появления золотистого цвета.

### Тапенаде

- Смешать пюре из черных оливок с оливковым маслом.

### Томатная сальса

- Разогреть оливковое масло в сковороде, добавить лук-порей, зеленый лук, чеснок и обжаривать до появления золотистого цвета.

- Добавить томатную пасту, очищенные свежие томаты, лавровый лист, мелко нарезанные и смешанные травы (чабрец, розмарин,
базилик) и продолжать готовить до тех пор,
пока не исчезнет жидкость.
- Посолить, поперчить, добавить мед, снять с
огня, дать остыть и загустеть.

### Сервировка
- В форму 9×9 см выложить сальсу, затем разместить греческий салат, форму снять.
- На каждую тарелку положить один кусочек
обжаренного сыра фета и кнель из тапенаде,
украшенную базиликом.

# ОВОЩИ, МАРИНОВАННЫЕ В АРОМАТНОМ ОЛИВКОВОМ МАСЛЕ

Дмитрий РАЗУМОВ —
шеф-повар ресторана «Отель»

## ВАМ ПОНАДОБИТСЯ /в граммах/

Цуккини **30**, горох стручковый **20**, грибы портобелло **20**, спаржа зеленая **20**, чеснок **10**, лук красный **20**, помидоры черри **50**, масло оливковое **100**, розмарин **2**, соль **по вкусу**, орехи кедровые **2**, хлеб бородинский **5**, тмин **1**, редис дайкон **30**, укроп свежий **2**, сыр грана падано **20**

## КАК ГОТОВИТЬ

Цуккини нарезать поперек и обжарить на гриле. Стручки гороха, грибы, спаржу, чеснок и красный лук порезать крупно и выложить на лоток. Сюда же выложить цуккини и помидоры черри, предварительно проколотые шпажкой в трех-четырех местах. Все овощи сбрызнуть оливковым маслом (10 г) и поставить на 10 минут в духовку с конвекцией при температуре 180°C. Вынуть, остудить. Оставшееся оливковое масло, розмарин, соль и кедровые орехи смешать в блендере. Залить овощи полученным маринадом, убрать в холодильник на сутки. Из бородинского хлеба сделать чипс с тмином: вырезать круглой формой, подпечь на гриле на пергаменте, приправив тмином. На тарелку в центре выложить по кругу нарезанный на слайсере дайкон. С помощью сервировочного кольца разложить слоями маринованные овощи и хлебный чипс. Украсить укропом и тонким ломтиком сыра.

# САЛАТ ИЗ СЕЛЬДЕРЕЯ И ЯБЛОК

## ВАМ ПОНАДОБИТСЯ /в граммах/

Сельдерей зеленый **80,** яблоки **80,** салат радичио **25,** масло оливковое **15,** соль **по вкусу,** перец белый горошком **по вкусу,** приправа «Аромат» **2,** сок лимона **35,** салат латук **10,** салат айсберг **10,** помидоры черри **15,** лук-резанец **2**

## КАК ГОТОВИТЬ

- Сельдерей очистить, промыть и нарезать.
- Яблоки очистить и нарезать ломтиками.
- Радичио (15 г) нарезать соломкой.
- Все перемешать и заправить оливковым маслом, солью, перцем, приправой «Аромат» и лимонным соком.
- Салат выложить горкой на листья латука, айсберга и радичио (10 г).
- По краям выложить помидоры черри.
- Посыпать мелкорубленым луком-резанцем.

**Дольф МИХЕЛЬ**
работал шеф-поваром
ресторана Cafe des Artistes

# НЮСЛИ

*Шеф-повар*
**Дольф МИХЕЛЬ**

## ВАМ ПОНАДОБИТСЯ /в граммах/

Нюсли (маш-салат) **150,** масло оливковое Extra Virgin **10,** сок лимона **1,** соль **по вкусу,** перец черный молотый **по вкусу,** яйцо **1 шт.,** помидоры черри **30,** лук-резанец **3**

## КАК ГОТОВИТЬ

- Нюсли обработать и промыть.
- Заправить оливковым маслом, лимонным соком, солью, перцем и перемешать.
- Яйцо сварить, очистить, разрезать на четыре части.

- Нюсли выложить горкой на тарелку, по краям выложить яйцо и помидоры черри.
- Посыпать луком-резанцем.

# СМЕШАННЫЙ САЛАТ

## ВАМ ПОНАДОБИТСЯ /в граммах/

Масло оливковое **30,** соль **по вкусу,** приправа «Аромат» **по вкусу,** уксус винный белый **3,** лук-резанец **2,** салат фризе **5,** салат айсберг **7,** салат радичио **5,** салат латук **5,** салат руккола **5,** горошек зеленый **15,** помидоры черри **15,** огурец **20,** перец болгарский **5,** морковь **10,** дайкон **10,** кабачки **10,** сельдерей зеленый **10,** фасоль **17**

## КАК ГОТОВИТЬ

- Оливковое масло перемешать с солью, приправой «Аромат», белым винным уксусом и мелко нарезанным луком-резанцем.
- Листья салатов фризе, айсберг, радичио, латук и руккола заправить половиной полученной смеси и аккуратно выложить на середину тарелки.
- Отдельно заправить оставшейся частью смеси каждый овощ (зеленый горошек, нарезанные помидоры черри, огурец, болгарский перец, морковь, дайкон, кабачки, сельдерей и бланшированную фасоль) и выложить по кругу.

*Шеф-повар*
**Дольф МИХЕЛЬ**

# САЛАТ ИЗ КРАБОВ С ЦИТРУСАМИ

**Паскаль АЛЬВАРЕ** — шеф-повар гастрономического ресторана Riviere. Родился в Бордо (Франция), получил образование бакалавра (менеджмент в сфере гостеприимства). Работал в ресторанах Restaurant le Boucher, Restaurant la Tupina, Restaurant le New York, Restaurant les Argentiers

## ВАМ ПОНАДОБИТСЯ /в граммах/

Грейпфрут **190**, лайм **65**, апельсин **103**, масло оливковое **20**, соль **по вкусу**, перец черный молотый **по вкусу**, салат-микс (лоло-росса, фризе, маш, руккола) **15**, мясо крабовое **50**, лук красный **8**, помидоры черри **11**, кориандр (листья) **6**, перец стручковый острый **2**, сок цитрусов **5**

## КАК ГОТОВИТЬ

- Цитрусы (грейпфрут, лайм, апельсин) очистить, нарезать средними кубиками, заправить оливковым маслом (15 г), солью и перцем.
- В форму слоями выложить салат в следующей очередности: цитрусы, салат-микс, цитрусы, крабовое мясо.
- Выложить салат из формы в центр блюда, вокруг разместить красный лук, нарезанный дольками, кружки помидоров черри, листья кориандра, кольца острого стручкового перца.
- Перед подачей полить оливковым маслом (5 г) и соком цитрусов.

# САЛАТ ОТ ШЕФА С ТИГРОВЫМИ КРЕВЕТКАМИ

**Миле МИКИЧ —**
шеф-повар клуба
Night Flight (Россия)

## ВАМ ПОНАДОБИТСЯ /в граммах/

Креветки тигровые **35,** масло сливочное **10,** чеснок **2,** карри **1,** шампиньоны **20,** авокадо **20,** лук-шалот **7,** перец красный чили **1,** масло оливковое **15,** сыр пармезан **25,** уксус бальзамический **5,** майонез **7,** соль **по вкусу,** перец черный молотый **по вкусу,** салат фризе **30,** салат лоло-росса **30,** салат радичио **10,** салат романо **20,** орегано **1,** сухарики из белого хлеба **10,** клубника **20**

## КАК ГОТОВИТЬ

- Пожарить очищенных креветок в сливочном масле с чесноком (1 г) и карри.
- Порезать шампиньоны, авокадо, лук-шалот, перец чили, добавить оливковое масло (10 г), пармезан, бальзамический уксус, майонез, соль, перец.
- Добавить нарезанные салаты и перемешать. Смесь выложить в декоративную баночку и подать на тарелке.
- Украсить креветками, орегано, чесноком (1 г), сухариками из белого хлеба, поджаренными до золотистой корочки на сковороде с оливковым маслом (5 г), и клубникой.

# МЕЛАНДЗАНЕ АЛЛА ПАРМИДЖИАНА

*Шеф-повар*
**Андреа ГАЛЛИ**

## ВАМ ПОНАДОБИТСЯ /в граммах/

Баклажан **100**, соль **3**, масло растительное **200**, помидоры черри **60**, сыр моццарелла буффало **60**, сыр пармезан тертый **5**, масло оливковое **20**, перец черный молотый **1**, орегано свежий **1**, базилик свежий **5**, салат фризе **4**, салат латук **4**, салат руккола **4**

## КАК ГОТОВИТЬ

Баклажан разрезать пополам, снять кожицу. Мякоть посолить и оставить на час, чтобы овощ отдал влагу и горечь, промокнуть салфеткой. Нарезать кубиками и быстро обжарить в сотейнике в растительном масле. Переложить на бумажную салфетку, чтобы избавиться от лишнего жира. Кожицу баклажана обжарить отдельно и подсушить. Помидоры черри разрезать на четыре части, добавить к ним моццареллу, нарезанную кубиками, и баклажан. Присыпать пармезаном, заправить оливковым маслом, перцем и мелко нарезанной зеленью орегано и базилика. Перемешать. Украсить листьями салатов и чипсом из кожицы баклажана.

# САЛАТ «ЛАЦИО» С ТЕПЛЫМИ МОРЕПРОДУКТАМИ И ПИКАНТНЫМИ ОВОЩАМИ

**Денис СИДОРКИН** —
шеф-повар ресторана «Дилижанс» (Россия).
Обладатель первого приза на конкурсе французской кухни в Москве (1996 г.), степени шевалье Ордена магистров французской гастрономии (1997 г.), лауреат Открытого чемпионата России по поварскому искусству (2004 г.)

## ВАМ ПОНАДОБИТСЯ /в граммах/

Мидии свежие **90,** креветки 16/20 **85,** мини-кальмары **75,** соль **3,** перец черный молотый **0,5,** масло оливковое **15,** масло сливочное **30,** цуккини (поджаренные) **10,** баклажаны (поджаренные) **10,** перец сладкий (запеченный) **10,** артишоки (запеченные) **20,** смесь салатов (руккола, оаклиф, фризе) **30,** соус «Лацио» **50,** маслины **30**

**Соус «Лацио»:** базилик **15,** масло оливковое **75,** лимон (сок) **10,** орехи кедровые **30,** чеснок **20,** сыр пармезан **40**

## КАК ГОТОВИТЬ

- Обработанных мидий, креветок, мини-кальмаров посолить, поперчить, обжарить на смеси оливкового и сливочного масла.
- Овощи (цуккини, баклажаны, перец, артишоки) нарезать соломкой, смешать с салатами, заправить соусом «Лацио» (40 г) и выложить горкой на тарелку.
- Вокруг разместить теплые морепродукты.
- Украсить целыми маслинами и каплями соуса «Лацио» (10 г).

### Соус «Лацио»
- Листья базилика, масло оливковое, сок лимона смешать в блендере до однородной массы.
- Добавить кедровые орехи, чеснок (пюре) и тертый сыр пармезан.
- Все перемешать.

# БАКЛАЖАНЫ, ФАРШИРОВАННЫЕ И ЗАПЕЧЕННЫЕ С СЫРОМ СКАМОРЦА

**Винченцо АНКОНА**
работал шеф-поваром
ресторана l'Altro Bosco

*Баклажаны, фаршированные и запеченные
с пикантным сыром скаморца, —
превосходная легкая закуска и одновременно
исключительный гарнир. Особый вкус
блюду придает оригинальная начинка из
белой хлебной панировки, сыра, чеснока
и душистых трав. Получается очень
насыщенный вкусовой микс, нежнейший по
текстуре и непередаваемый по аромату.*

## ВАМ ПОНАДОБИТСЯ /в граммах/

**Начинка для баклажанов:** панировка хлебная белая **150**, соус «Наполи» **50**, базилик зеленый **10**, орегано сухой **3**, пармезан тертый **40**, чеснок **3**, соль **по вкусу**, перец черный молотый **по вкусу**

**Баклажаны фаршированные:** баклажаны крупные **50**, соль **по вкусу**, перец черный молотый **по вкусу**, масло оливковое **10**, начинка для баклажанов **15**, сыр скаморца **20**, пармезан тертый **10**, соус «Наполи» **50**, масло оливковое **5**

**Сервировка:** баклажаны фаршированные **65**, соус «Песто» **15**, базилик зеленый **2**

## КАК ГОТОВИТЬ

### Начинка для баклажанов

**1, 2.** В белую хлебную панировку добавить соус «Наполи», нарезанный зеленый базилик, сухой орегано, тертый пармезан, мелко нарубленный чеснок, соль, перец черный молотый, перемешать до однородной массы.

### Баклажаны фаршированные

**3.** Баклажаны очистить от кожуры и нарезать пластинками толщиной 2 мм. Посолить, оставить на некоторое время, чтобы ушла горечь, отжать.

**4, 5.** Поперчить, добавить оливковое масло, обжарить на гриле с двух сторон.

**6, 7.** Пластинки баклажанов фаршировать начинкой и завернуть рулетиками.

**8.** Выложить в форму, сверху разложить нарезанный тонкими пластинками сыр скаморца, посыпать тертым пармезаном.

**9.** Полить соусом «Наполи», сбрызнуть оливковым маслом. Запечь в духовке с конвекцией 10 минут при температуре 180°C.

### Сервировка

Выложить рулетики из баклажанов на тарелку, полить произвольно соусом «Песто» и украсить зеленым базиликом.

# ФАРШИРОВАННЫЕ ПОМИДОРЫ

Александр МАРЧЕНКО —
шеф-повар сети ресторанов
ROMASHKA Management

*Фаршированные помидоры — это легкий гарнир, который прекрасно сочетается и с мясом, и с рыбой, а для начинки я использовал шпинат.*

## ВАМ ПОНАДОБИТСЯ /в граммах/

Помидоры **800**, апельсин **1 шт.**, лук-шалот **2 шт.**, хамон «Серрано» **100**, масло сливочное **40**, орехи кедровые **50**, шпинат **500**, соль **по вкусу**, перец черный молотый **по вкусу**, масло растительное **10**, масло оливковое **2 ст. л.**

## КАК ГОТОВИТЬ

**1.** Помидоры вымыть, срезать верхушку, чайной ложкой вынуть мякоть.

**2.** Приготовить начинку:
— с апельсина снять цедру, отжать сок;
— лук-шалот мелко нарезать;
— хамон нарезать мелкими кубиками;
— сливочное масло распустить на сковороде, поджарить кедровые орехи до золотистого цвета;
— смешать с нарезанным луком-шалотом, хамоном, шпинатом, цедрой и соком апельсина;
— помешивая, слегка обжарить с добавлением соли, черного молотого перца.

**3.** Смазать форму для запекания растительным маслом.

**4.** Наполнить помидоры подготовленным фаршем.

**5.** Сбрызнуть оливковым маслом и запечь в предварительно нагретой до 190°C духовке в течение 20—25 минут.

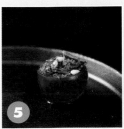

# ЖАРЕНЫЙ ЗЕЛЕНЫЙ ГОРОШЕК В АЗИАТСКОМ СОУСЕ С ЛЕСНЫМИ ОРЕХАМИ

*Шеф-повар*
**Дмитрий ЯКОВЛЕВ**

*Стручки зеленого горошка очень красивы по цвету и превосходны по вкусу. Раньше это была пища простолюдинов, теперь же его употребляют повсеместно и с огромным удовольствием. Ведь мы знаем, что белка в нем почти столько же, сколько и в говядине, а еще он содержит витамины и аминокислоты.*

## ВАМ ПОНАДОБИТСЯ /в граммах/

Морковь **30**, фундук **30**, лук репчатый **30**, соус соевый **20**, перец розовый горошком **5**, петрушка **5**, кинза **5**, масло кунжутное **10**, масло оливковое **10**, горошек зеленый **150**

## КАК ГОТОВИТЬ

**1, 2, 3.** Морковь нарезать соломкой, фундук раздробить, репчатый лук мелко нашинковать.

**4, 5.** В миску с соевым соусом добавить нарезанный репчатый лук, розовый перец горошком, затем мелко порубленные петрушку и кинзу. Заправить кунжутным маслом и перемешать венчиком.

**6.** Немного обжарить в оливковом масле подготовленные морковь и фундук.

**7.** Добавить бланшированный зеленый горошек, залить смесью с соевым соусом и обжарить в течение одной минуты.

**8.** Готовый горошек выложить на тарелку.

# МОЦЦАРЕЛЛА С ПОМИДОРОМ ДАТЕРИНО

**Мирко ДЗАГО —** шеф-повар ресторана «Сыр» (Россия). Член Национальной гильдии шеф-поваров, член жюри российского отборочного конкурса Bocuse d'Or-2005, лауреат премии «Золотой журавль». Представлял итальянскую кухню в резиденции Президента России

*Классическое итальянское блюдо, очень простое в приготовлении, но любимое многими поколениями. Здесь важно использовать правильные продукты: помидоры датерино — особый сорт, растущий на Сицилии, сладкий, с плотной мякотью; моццареллу буффало — нежнейший сочный сыр и зелень.*

## ВАМ ПОНАДОБИТСЯ /в граммах/

Помидоры датерино **18**, сыр моццарелла буффало **20**, базилик зеленый **1**, соль **1**, орегано сухой **0,1**, салат руккола **1**, масло оливковое **2**

## КАК ГОТОВИТЬ

**1.** Помидоры датерино разрезать пополам.

**2.** Сыр моццареллу буффало нарезать крупными кубиками.
Уложить моццареллу между половинок помидоров вместе с листиком зеленого базилика.

**3.** Закрепить шпажкой.

**4.** Посыпать солью и сухим орегано.

**5.** В стакан уложить листики рукколы и канапе с помидором и моццареллой.

**6.** Сбрызнуть оливковым маслом.

# ЖАРЕНЫЕ ГРЕБЕШКИ С ПОМИДОРАМИ КОНФИ И СПАРЖЕЙ

*Шеф-повар*
**Мирко ДЗАГО**

*Соус из помидоров готовится без добавления яиц. Зеленая спаржа гармонично вписывается в общую композицию.*

## ВАМ ПОНАДОБИТСЯ /в граммах/

**Спаржа:** спаржа зеленая **20**

**Помидоры черри конфи:** помидоры черри **10 шт.**, соль **по вкусу**, сахар **по вкусу**, чеснок **2**

**Соус из помидоров:** помидоры **250**, соль **6**, соус «Табаско» **2–3 капли**, сок лимонный **17**, масло оливковое **150**

**Гребешки морские:** гребешки морские **40 (1 шт.)**, соль **по вкусу**, масло оливковое **5**

**Сервировка:** спаржа **20**, соль **по вкусу**, масло оливковое **5**, соус из помидоров **8**, гребешки морские **20 (1/2 шт.)**, помидоры черри конфи **5**, кервель (веточка) **2**, соль морская **1**, перец черный свежемолотый **по вкусу**

# КАК ГОТОВИТЬ

## Спаржа

**1.** Зеленую спаржу почистить и отварить.

**2.** Верхнюю часть разрезать вдоль, а нижнюю — на маленькие кусочки.

## Помидоры черри конфи

Помидоры черри разрезать пополам, посыпать солью, сахаром и выложить на лоток, простеленный пергаментом, вместе с пластинами чеснока.

Готовить 15 минут в духовке при температуре 100°C.

## Соус из помидоров

Помидоры бланшировать в горячей воде. Охладить и очистить от кожицы. Разрезать на четыре части и удалить мякоть.

**3.** Положить помидоры в блендер, добавить соль, соус «Табаско», лимонный сок и оливковое масло. Перемешать до консистенции соуса.

## Гребешки морские

**4, 5.** Морских гребешков посыпать солью и пожарить на оливковом масле.

## Сервировка

Спаржу посыпать солью и полить оливковым маслом (3 г), разогреть в ростере.

**6.** В декоративную ложку налить соус из помидоров и насыпать кусочки спаржи (нижняя часть).

**7.** Затем уложить половинку обжаренного морского гребешка.

**8.** Сверху положить верхнюю часть спаржи, украсить помидорами черри конфи и веточкой кервеля.

Посыпать морской солью, черным свежемолотым перцем и полить оливковым маслом (2 г).

# ОЛИВКОВАЯ БУЛОЧКА ПО-ПРОВАНСАЛЬСКИ

**Франсуа КАНТЕН**
работал шеф-поваром ресторана
«Поло Клуб» в отеле «Марриотт
Ройал Аврора»

*Блюдо очень просто готовится и являет собой пример здоровой провансальской кухни. Оливковая булочка имеет ярко выраженный средиземноморский характер. Хлебная часть прекрасно гармонирует с овощами и сыром рикотта и в таком сочетании легко усваивается. Сытная и легкая, эта закуска будет настоящим украшением фуршетного стола.*

## ВАМ ПОНАДОБИТСЯ /в граммах/

**Оливковая булочка:** дрожжи сухие **26**, соль **13**, вода теплая **175**, маслины черные **200**, мука **500**, масло оливковое **60**

**Начинка для булочки:** мини-баклажан **1 шт.**, соль **по вкусу**, масло оливковое **20**, булочка оливковая **30**, сыр рикотта **30**, помидор вяленый **10**, тимьян свежий **1**

## КАК ГОТОВИТЬ

### Оливковая булочка

Сухие дрожжи и соль соединить с теплой водой и хорошо перемешать. Оставить на 30 минут в теплом месте. Добавить мелко нарезанные черные маслины.

**1.** Добавить в смесь муку и замесить тесто. Оставить на 20 минут.

**2.** Сформовать булочки, положить на сма-занный оливковым маслом противень, оставить на 10 минут.

**3.** Выпекать в духовке 10 минут при температуре 180°С.

### Начинка для булочки

**4.** Мини-баклажан порезать на четвертинки, хорошо посолить и поджарить на

сковороде в оливковом масле до золотистого цвета.

**5.** Отрезать верхушку булочки и вынуть всю мякоть.

**6, 7.** В булочку положить сыр рикотта, кусочек баклажана и вяленый помидор.

**8.** Украсить булочку веточкой свежего тимьяна.

# ФАРШИРОВАННЫЙ ПОМИДОР

**Никола КАНУТИ** — шеф-повар ресторана l'Albero (Россия). Работал поваром в ресторанах легендарного Алена Дюкасса — Spoon, Spoon Byblos и др.

*Это очень свежее, легкое и приятное на вкус блюдо прекрасно подойдет для летнего и вегетарианского меню. Салатные листья превосходно сочетаются со спелыми сладкими помидорами. Главное, при приготовлении использовать качественные вкусные плоды — от этого зависит успех удивительной закуски.*

## ВАМ ПОНАДОБИТСЯ /в граммах/

**Соус «Винегрет»:** масло оливковое Extra Virgin **100**, уксус красный **20**, уксус бальзамический **10**, соль **по вкусу**, перец черный молотый **по вкусу**

**Фаршированный помидор:** помидор **1 шт./150**, салат лоло-росса **10**, салат руккола **10**, салат радичио **10**, салат фризе **10**, фенхель **1/2 шт.**, редис **2 шт.**, спаржа зеленая **2 шт.**, спаржа белая **2 шт.**, соус «Винегрет» **3 ст. л.**, соль **по вкусу**, перец черный молотый **по вкусу**

## КАК ГОТОВИТЬ

### Соус «Винегрет»

Оливковое масло, красный уксус, бальзамический уксус, соль и перец смешать.

### Фаршированный помидор

Помидор опустить в кастрюлю с кипятком на 10 секунд, затем переложить в кастрюлю с ледяной водой на 10 секунд.

**1.** После этого снять с помидора кожицу, разрезать его пополам и вынуть мякоть с семечками.

Салаты помыть и разделать.

**2.** Фенхель, редис и спаржу (зеленую и белую) мелко нарезать и смешать с салатами, добавив соус «Винегрет» (2 ст. л.), посолить, поперчить.

**3, 4.** В половинку помидора поместить готовый салат и накрыть второй половинкой.

Полить соусом «Винегрет» (1 ст. л.); блюдо декорировать солью и черным молотым перцем.

# ЗЕЛЕНАЯ СПАРЖА, ПРИГОТОВЛЕННАЯ НА ПАРУ, НА ПОДУШКЕ ИЗ СВЕКЛЫ

**Андрей БАЧУГИН
и Паоло БОККОЛИНИ**
работали шеф-поварами остерии
«Да Чикко»

## ВАМ ПОНАДОБИТСЯ /в граммах/

Соус лимонный **10,** свекла отварная **30,** масло оливковое **25,** спаржа зеленая **130,** картофель **30,** соус яичный **25,** микс-салат **5,** лук-резанец **2,** орехи грецкие **3,** спаржа (декор) **5**

**Соус лимонный:** масло оливковое Extra Virgin **530,** сок лимона **480,** горчица дижонская **50,** соль **2,** перец черный молотый **1**

**Соус яичный:** яйцо **7 шт.,** горчица дижонская **10,** горчица французская зернистая **10,** петрушка **2,** уксус винный **5,** масло оливковое **10**

**Микс-салат:** салат радичио **100,** салат лоло-росса **110,** салат латук **190,** салат фризе **25**

## КАК ГОТОВИТЬ

- Тарелку украсить лимонным соусом.
- В центр выложить свеклу, нарезанную на слайсере кружочками, полить оливковым маслом (10 г).
- Поставить круглую формочку без дна, по ее краям с внутренней стороны поставить верхнюю часть спаржи, приготовленную на пару и разрезанную вдоль пополам.
- В центр выложить мелко нарезанную нижнюю часть спаржи, отварной картофель, нарезанный кубиками, яичный соус, сверху — микс-салат, заправленный оливковым маслом (15 г).
- Украсить перьями лука и измельченными грецкими орехами.
- На свеклу положить несколько кубиков спаржи.

### Соус лимонный
- Смешать оливковое масло и сок лимона, добавить горчицу, приправить солью и перцем.

### Соус яичный
- Яйца отварить, натереть на терке семь желтков и два белка.
- Добавить горчицу, рубленую петрушку, уксус и оливковое масло.
- Перемешать.

### Микс-салат
- Листья салатов порвать и перемешать.

# ТАПАС «ПОМИДОРЫ» С СЫРОМ МОЦЦАРЕЛЛА

**Жером КУСТИЙАС**
работал шеф-поваром ресторана
La Voile (Россия), в ресторанах
Armes de France, в отеле
Metropole, отмечен
в справочнике Gault Millau

## ВАМ ПОНАДОБИТСЯ /в граммах/

Помидоры мелкие азербайджанские **100**, соль **1**, перец белый **1**, демиглас **40**, петрушка **2**, кинза **2**, мята **1**, тархун **1**, лук-резанец **1**, тимьян **1**, сыр моццарелла **30**, масло сливочное **30**, оливки **16**, чеснок **3**, миндаль **2**, помидор сушеный **3**, масло базиликовое **10**

## КАК ГОТОВИТЬ

- С помидоров удалить кожицу, посолить, поперчить и запекать в духовке при температуре 90°C до состояния «конфи», периодически поливая демигласом (20 г).
- Выложить помидоры на блюдо и оформить зеленью: петрушкой, кинзой, мятой, тархуном, луком-резанцем, тимьяном.

- Рядом поместить сыр моццарелла.
- Украсить жаренными на сливочном масле оливками, чесноком и миндалем, сушеным помидором, полить демигласом (20 г) и базиликовым маслом.

# ТАПАС ИЗ ОВОЩЕЙ

## ВАМ ПОНАДОБИТСЯ /в граммах/

Помидоры мелкие азербайджанские **30,** лук-шалот **40,** лук-резанец зеленый **1,** масло оливковое «Терра Росса» **по вкусу,** уксус хересный **по вкусу,** соль **по вкусу,** перец белый молотый **по вкусу,** фенхель свежий **25,** морковь свежая **15,** цуккини **17,** сельдерей (корень) **18,** масло оливковое **5,** чеснок свежий **12,** тимьян свежий **2,** кинза свежая **2,** петрушка свежая **2,** маслины **2,** уксус бальзамический **1,** масло базиликовое **5**

## КАК ГОТОВИТЬ

- С помидоров снять кожицу и нарезать кубиками.
- Добавить мелко порубленные лук-шалот, зеленый лук-резанец, заправить оливковым маслом и хересным уксусом, посолить, поперчить.
- Фенхель, морковь, цуккини и корень сельдерея нарезать фигурно, обжарить на оливковом масле с добавлением чеснока и тимьяна.
- Выложить помидоры на тарелку и оформить овощами, зеленью и маслинами.
- Декорировать бальзамическим уксусом и базиликовым маслом.

*Шеф-повар*
**Жером КУСТИЙАС**

# СПАРЖА СО СМОРЧКАМИ

*Шеф-повар*
**Паскаль АЛЬВАРЕ**

## ВАМ ПОНАДОБИТСЯ /в граммах/

Спаржа **113**, сок лимона **2**, лук-шалот свежий **20**, масло сливочное **10**, портвейн **50**, сморчки сушеные **15**, сливки 33% **50**, соль **по вкусу**, перец черный молотый **0,2**, демиглас **50**, сыр пармезан **5**

## КАК ГОТОВИТЬ

- Спаржу очистить и отварить до готовности в подсоленной воде с добавлением сока лимона.
- Мелко нарезанный лук-шалот обжарить на сливочном масле.
- Добавить портвейн, сморчки и жарить еще 4—5 минут с добавлением сливок, соли и перца.

- Выложить спаржу на тарелку.
- По окружности вылить соус, полученный при жарке сморчков.
- Выложить на тарелку сморчки.
- Украсить соусом демиглас и слайсами из сыра пармезан.

# СПАРЖА С ГРЕБЕШКАМИ

*Шеф-повар*
**Миле МИКИЧ**

## ВАМ ПОНАДОБИТСЯ /в граммах/

Спаржа белая свежая **200**, соль **по вкусу**, гребешки морские **45**, шампиньоны **3 шт.**, масло оливковое **5**, лук зеленый **3**, соус «Голландский» **80**, паприка красная **5**, укроп **1**, кинза **1**, петрушка **1**

**Соус «Голландский»:** масло сливочное **45**, яйцо (желток) **2 шт.**, лук-шалот **10**, вино белое сухое **10**, сок лимона **3**, соль **по вкусу**, перец черный молотый **по вкусу**

## КАК ГОТОВИТЬ

- Промыть, почистить спаржу и отварить в подсоленной воде 5 минут.
- Поджарить гребешков и шампиньоны на оливковом масле.
- Выложить на середину тарелки спаржу горкой, украсить зеленым луком, рядом на капли «Голландского» соуса (30 г) выложить шампиньоны и гребешков.
- Украсить сверху очень тонко нарезанной красной паприкой.
- Сделать букет из укропа, кинзы, петрушки и украсить блюдо.
- В соуснике подать «Голландский» соус (50 г).

### Соус «Голландский»

- Растопить сливочное масло при 40°С.
- Взбить желтки, мелко порезанный лук-шалот, белое вино, лимонный сок над водяной баней до появления пенки.
- Убрать с водяной бани и очень медленно ввести, помешивая, растопленное сливочное масло. Добавить соль, перец.

# ФАРШИРОВАННЫЕ ВИНОГРАДНЫЕ ЛИСТЬЯ

*Шеф-повар*
**Паникос ХАДЖИТОФИС**

## ВАМ ПОНАДОБИТСЯ /в граммах/

Масло оливковое **30,** лук репчатый (мелко нарубленный) **10,** лук-шалот (мелко нарубленный) **30,** лук-порей (мелко нарубленный) **20,** фенхель сладкий свежий (мелко нарубленный) **15,** рис «Арборио» **50,** орешки кедровые **10,** помидоры без кожицы (мелко нарезанные) **100,** вино сухое белое **20,** петрушка (мелко нарубленная) **15,** кервель (мелко нарубленный) **6,** укроп (мелко нарубленный) **6,** чеснок (мелко нарубленный) **6,** смесь специй **1,** сок лимонный свежевыжатый **20,** листья виноградные **30,** соль **по вкусу,** перец черный молотый **по вкусу,** сальса овощная **50,** уксус бальзамический белый **10**

## КАК ГОТОВИТЬ

- Разогреть оливковое масло (15 г) в большой сковороде, добавить репчатый лук, лук-шалот, лук-порей, сладкий фенхель, рис, кедровые орешки и помидоры.
- Готовить около 10 минут, затем влить белое вино. Через 5 минут добавить свежие травы (петрушку, кервель, укроп), чеснок, смесь специй и лимонный сок. Перемешать, довести до готовности. Дать смеси остыть.
- Поместить виноградные листья в горячую воду на 2 минуты, затем выложить их на ровную поверхность.

- Остывшую начинку положить на листья и завернуть, загнув края, в виде голубцов.
- Поместить в глубокую тарелку и залить водой. Добавить оливковое масло (15 г), соль, перец и готовить в духовке полтора часа при температуре 115°C.
- Блюдо подавать в горячем или холодном виде с овощной сальсой, слегка сбрызнув белым бальзамическим уксусом.

# ПОМИДОР, ФАРШИРОВАННЫЙ ОВОЩАМИ, ПОД ЛЕГКИМ СОУСОМ «ПЕСТО»

**Аугусто ТОМБОЛАТО —**
шеф-повар
ресторана Casanova

*Помидор — символ итальянской кухни. Я его использую везде, начиная с закусок и пиццы и заканчивая приготовлением сложных блюд — первых, вторых, осенних, зимних и т.д. В этом блюде есть еще один национальный штрих — начинка из баклажанов и кедровых орехов, которыми нафарширован помидор.*

## ВАМ ПОНАДОБИТСЯ /в граммах/

Базилик **60**, орехи грецкие **10**, пармезан **15**, лед (кубики) **2 шт.**, масло оливковое **по вкусу**, соль **по вкусу**, перец черный молотый **по вкусу**, помидор **1 шт.**, баклажан **100**, орехи кедровые **10**, изюм **10**

## КАК ГОТОВИТЬ

- Приготовить соус «Песто»:
— взбить базилик (45 г) с орехами, пармезаном, кубиками льда для сохранения цвета;
— в конце добавить оливковое масло, взбить до однородной массы;
— посолить, поперчить.
- Поместить помидор в кипящую воду, снять кожуру, вынуть сердцевину.
- Приготовить начинку:
— нарезать кубиками баклажан, слегка поджарить с добавлением оливкового масла, подбрасывая вместе с орехами, базиликом (10 г) и изюмом.
- Положить начинку в помидор.
- Выложить соус на блюдо тонким слоем в форме круга, в центре поместить помидор.
- Украсить базиликом (5 г).

# ФРИТТАТА С САЛАТОМ ARUGULA В ИТАЛЬЯНСКОМ СТИЛЕ

## ВАМ ПОНАДОБИТСЯ /в граммах/

Яйцо **5 шт.**, петрушка **20**, базилик **10**, лук зеленый **4**, соль **по вкусу**, перец черный молотый **по вкусу**, перец стручковый красный, нарезанный кубиками **100**, перец стручковый зеленый, нарезанный кубиками **100**, картофель молодой (отварной, нарезанный кубиками) **100**, цуккини, нарезанный кубиками **50**, лук красный, нарезанный кубиками **50**, помидоры черри **50**, маслины черные рубленые **20**, масло оливковое **30**, сыр пармезан **30**, салат arugula **40**, приправа из бальзамического уксуса, прованского масла и пряностей **10**

## КАК ГОТОВИТЬ

- Взбить яйца с травами, зеленым луком и специями.
- Овощи (перец стручковый красный и зеленый, молодой картофель, цуккини, красный лук, помидоры черри и маслины) припустить в оливковом масле на сковороде, в конце добавить яичную смесь. Готовить на медленном огне, пока фриттата не схватится. Затем поместить ее в духовку и готовить при температуре 150°С. Через 2 минуты после начала приготовления посыпать пармезаном и томить до готовности.
- Вынуть из духовки, охладить, нарезать на треугольники, выложить на блюдо с салатом arugula и полить приправой из бальзамического уксуса, прованского масла и пряностей.

**Гарри ГАЛЛИНАН** — шеф-повар ресторана Poll Grill

# МОЦЦАРЕЛЛА С ПОМИДОРАМИ

*Шеф-повар*
**Миле МИКИЧ**

## ВАМ ПОНАДОБИТСЯ /в граммах/

Помидоры биф **125,** сыр моццарелла **40,** лук красный **7,** салат руккола **3,** соус «Песто» **3,** соль **по вкусу,** помидоры черри **3 шт.,** перец черный молотый **1,** цедра лимона **2,** уксус бальзамический **5,** масло оливковое **4,** орешки кедровые **3,** палочка хлебная **1 шт.**

**Палочка хлебная:** вода **100,** мука **100,** соль **5,** масло растительное **5,** семя кунжутное темное **2**

## КАК ГОТОВИТЬ

- Нарезать помидоры биф, моццареллу, красный лук.
- Выложить слоями, переложив помидоры, сыр и лук рукколой, соусом «Песто» и солью.
- Перемешать половинки помидоров черри с солью, черным перцем и лимонной цедрой, высушить в духовке при 60°С в течение 24 часов.
- Украсить тарелку бальзамическим уксусом, оливковым маслом, кедровыми орешками (предварительно поджаренными на сухой сковороде) и половинками помидоров черри.
- Декорировать блюдо хлебной палочкой.

### Палочка хлебная

- Из воды, муки, соли, растительного масла с добавлением кунжутного семени замесить тесто.
- Готовое тесто положить в кондитерский мешок и выдавить полосками.
- Выпечь палочки при 175°С в течение 10 минут.

# БЫСТРАЯ ГОРЯЧАЯ ЗАКУСКА ИЗ СПАРЖИ С ВЯЛЕНЫМИ ТОМАТАМИ И ОЛИВКАМИ

**Лилиан ТЬЕРИОН —**
шеф-повар ресторана «Буйабес»

## ВАМ ПОНАДОБИТСЯ /в граммах/

Спаржа молодая зеленая **80**, масло оливковое **10**, вино белое сухое **10**, соль **1**, перец черный молотый **1**, чеснок **8**, грибы вешенки **6**, лук зеленый **8**, оливки крупные **50**, томаты вяленые **40**, сыр пармезан **15**

## КАК ГОТОВИТЬ

Молодую спаржу бланшировать не дольше 30 секунд. Обжарить на оливковом масле (5 г), добавить белое вино, выпарить. Посолить, поперчить. На оливковом масле (5 г) обжарить по отдельности разрезанные вдоль зубчики чеснока, грибы и зеленый лук не дольше 15 секунд. Выложить на тарелку спаржу, на нее положить оливки, чеснок и зеленый лук. Рядом поместить грибы, вяленые томаты и пармезан.

# ГАСПАЧО С МОЦЦАРЕЛЛОЙ

Шеф-повар
**Сергей ВЕКШИН**

*Гаспачо — «таблетка для здоровья», настоящая витаминная атака. Помидоры содержат глюкозу и фруктозу, богаты витаминами, минеральными солями, органическими кислотами. Они улучшают цвет лица, способствуют регулированию работы нервной системы, разглаживают морщины... Полезные свойства не поддаются исчислению, важно, чтобы помидоры были спелыми и попали в тарелку, не растеряв удивительных лечебных качеств по дороге.*

## ВАМ ПОНАДОБИТСЯ /в граммах/

**Гаспачо:** перец болгарский сладкий (красный и желтый) **100**, огурцы **50**, помидоры «Бычье сердце» **200**, редис **20**, сельдерей (стебель) **20**, лук-шалот **10**, чеснок **10**, помидоры консервированные **200**, соль **1**, перец черный молотый **1**, соус «Ворчестер» **1**, соус «Табаско» **1**

**Сервировка:** гаспачо **400**, огурцы **10**, перец болгарский сладкий (красный и желтый) **20**, сыр моццарелла **15**, масло оливковое **5**, базилик зеленый **2**

## КАК ГОТОВИТЬ

**Гаспачо**

**1, 2, 3, 4.** Сладкий болгарский перец (красный и желтый), огурцы, помидоры «Бычье сердце», редис, стебель сельдерея, лук-шалот и чеснок крупно нарезать.

**5, 6.** Заложить овощи в миксер, добавить консервированные помидоры и взбить.

**7, 8.** В получившуюся массу добавить соль, черный молотый перец, соусы «Ворчестер», «Табаско» и пропустить через сито.

Готовый суп поместить в холодильник, подавать в холодном виде.

## Сервировка

**9.** В подстановочное блюдо положить сухой лед.

Гаспачо налить в тарелку, по краям выложить мелко нарезанные огурцы, красный и желтый болгарский перец.

**10.** В центр положить три шарика моццареллы, сбрызнуть оливковым маслом и украсить листиками базилика.

# ХОЛОДНЫЙ СУП ИЗ МОРКОВИ И ИМБИРЯ С ТАРТАРОМ ИЗ ТУНЦА

Шеф-повар
**Нико ДЖОВАНОЛИ**

*Этот превосходный холодный суп из моркови и имбиря с тартаром из сырого тунца никого не оставит равнодушным. Есть в нем легкое прикосновение азиатских мотивов. Сладкая мягкость моркови приглушает огненную остроту имбиря и удачно соседствует с освежающим вкусом свежей рыбы. Морковь содержит в себе много каротина, имбирь полезен для желудка, тунец, как и все дары моря, богат ценными для человеческого организма микроэлементами. Добавить сюда чеснок, кинзу, кунжут — и полный набор для отличного настроения и прекрасного самочувствия в одной тарелке  готов.*

## ВАМ ПОНАДОБИТСЯ /в граммах/

**Суп из моркови и имбиря:** морковь **1 шт./90**, имбирь **5**, лук репчатый **1 шт.**, чеснок **3**, масло оливковое **20**, соль **по вкусу**, перец черный молотый **по вкусу**, бульон куриный **100**

**Тартар из тунца Блю Фин:** филе тунца Блю Фин **100**, кинза **20**, лук-шалот **1 шт.**, соус соевый **10**, соль **по вкусу**, перец белый молотый **по вкусу**

**Сервировка:** тартар из тунца Блю Фин **120**, суп из моркови и имбиря **100**, кунжут (белый и черный) **по вкусу**, кинза **2**

## КАК ГОТОВИТЬ

### Суп из моркови и имбиря

Морковь, имбирь, лук репчатый и чеснок очистить и нарезать большими кубиками.

**1.** Сложить овощи в глубокий сотейник, слегка обжарить на оливковом масле. Посыпать солью, черным молотым перцем.

**2.** Когда все обжарится, залить куриным бульоном и варить овощи до готовности.

**3, 4.** Пробить блендером до однородной массы и пропустить через сито. Готовый суп оставить охлаждаться.

### Тартар из тунца Блю Фин

Филе тунца нарезать очень маленькими кубиками.

Кинзу и лук-шалот мелко нашинковать.

**5, 6.** Смешать нарезанного тунца с кинзой и луком-шалотом, залить соевым соусом и перемешать.

Довести до вкуса солью и белым молотым перцем.

### Сервировка

**7.** Тартар из тунца Блю Фин выложить на середину суповой тарелки.

**8.** Налить вокруг холодный суп из моркови и имбиря.

**9.** Посыпать слегка поджаренными кунжутными семенами и мелко нарезанной кинзой.

# СУП-ПЮРЕ ИЗ СЕЛЬДЕРЕЯ С КАРПАЧЧО ИЗ ОСЬМИНОГА

**Евгений СЕЛЕЗНЕВ, Олег ЕГОРУШКИН —** шеф-повара ресторана Bed Cafe (Россия)

*Суп-пюре — очень здоровая пища. Продукты варятся и пробиваются в блендере, как для детского меню. В достаточно пресное овощное пюре нам захотелось добавить «сильный» продукт, например, рыбу, а лучше вареного осьминога — богатейший источник белка.*

## ВАМ ПОНАДОБИТСЯ /в граммах/

Сельдерей (корень) **60,** бульон куриный **150,** соль **по вкусу,** молоко **90,** масло оливковое **5,** яйцо **1 шт.,** осьминог вареный **30,** био-базилик **2**

## КАК ГОТОВИТЬ

Корень сельдерея очистить и нарезать произвольно.

**1.** Положить корень сельдерея в сотейник и залить куриным бульоном. Посолить, довести до кипения и варить на медленном огне до полного размягчения.

**2.** Блендером измельчить сельдерей вместе с бульоном до консистенции пюре, доба-

вить молоко, довести до кипения и перед подачей взбить.

**3, 4, 5, 6.** Приготовить яйцо-пашот: на пищевую пленку вылить оливковое масло, затем поместить на нее яйцо, герметично закрыть и сварить. Готовое яйцо охладить.

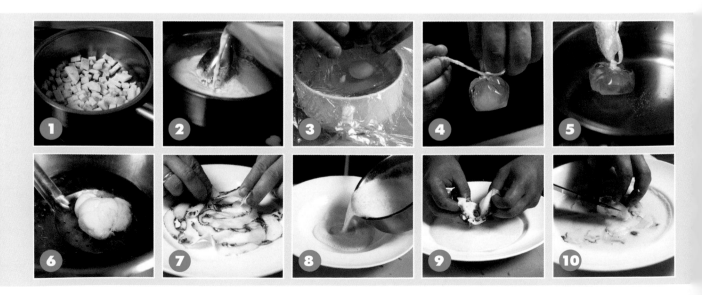

**7.** Тонко нарезать вареного осьминога, красиво уложить на тарелку и перед подачей прогреть.

**8, 9, 10.** В подогретую тарелку налить готовый суп, затем выложить карпаччо из осьминога и надрезанное яйцо-пашот.

Украсить листиками био-базилика.

# СУП ИЗ ШПИНАТА С ЛОСОСЕМ И БРОККОЛИ

*Шеф-повара*
**Евгений СЕЛЕЗНЕВ,**
**Олег ЕГОРУШКИН**

*Шпинат нейтрален по вкусу и прекрасно подходит к достаточно жирному лососю. К тому же лосось — отварной: данный метод его приготовления редко используется в кулинарии. Еще один важный компонент блюда — брокколи. Эта капуста, известная с древности, — настоящий кладезь витаминов и минералов.*

## ВАМ ПОНАДОБИТСЯ /в граммах/

Лосось (филе) **70,** капуста брокколи **40,** шпинат **60,** бульон куриный **160,** соль **по вкусу,** молоко **80**

## КАК ГОТОВИТЬ

**1.** Филе лосося нарезать кубиками.

**2.** Капусту брокколи разделить на соцветия. Шпинат перебрать, отрезать стебли и промыть.

**3.** В сотейник налить куриный бульон, положить шпинат, посолить и довести до кипения.

**4.** Блендером измельчить шпинат с бульоном в однородную массу.

**5, 6.** Повторно поставить на огонь, налить молоко (60 г), положить кусочки лосося и соцветия брокколи, варить до готовности лосося.

**7.** В теплую тарелку выложить вареного лосося и капусту брокколи, готовый суп еще раз взбить блендером и налить в тарелку сверху.

Полить пеной из взбитого молока (20 г).

# ОСТРЫЙ ТЫКВЕННЫЙ СУП

**Алексей БОГДАНОВ**
работал шеф-поваром
ресторана China Club (Россия)

*В нашем ресторане представлены два
направления: европейское и азиатское, что
позволяет экспериментировать, смешивая
продукты, характерные для кулинарии разных
стран, и использовать различные технологии
приготовления, приводящие к созданию необычных
блюд и вкусовых сочетаний. Общепризнанное
правило одно: внешний вид и содержание блюда
должны вызывать аппетит и желание
скорее его попробовать.*

## ВАМ ПОНАДОБИТСЯ /в граммах/

Тыква оранжевая **1500**, лук репчатый **3 шт.**, чеснок **9 зубчиков**, соль **по вкусу**,
пудра карри **6**, пудра кумина **2**, масло оливковое **50**, бульон куриный **2000**, базилик
зеленый **1 листик**, сливки 38% (на 100 г супа) **20**

## КАК ГОТОВИТЬ

**1.** Тыкву очистить и нарезать крупными кусками.

**2.** Две головки репчатого лука нарезать крупно, одну — мелко.

Шесть зубчиков чеснока разрезать пополам, удалить проростки, два зубчика измельчить.

**3.** На большой противень уложить нарезанную тыкву, крупно нарезанный лук, нарезанный пополам чеснок. Посыпать солью, пудрой карри, пудрой кумина, полить оливковым маслом (30 г).

**4.** Запекать в духовке примерно 30—35 минут при температуре 160°С до готовности. В процессе приготовления перемешивать через каждые 7—8 минут.

Мелко нарезанные лук и чеснок обжарить на оливковом масле (15 г), добавить запеченные овощи, залить бульоном и варить на слабом огне 10—15 минут.

**5.** Снять с огня и пробить миксером до однородной массы.

Один зубчик чеснока мелко нарезать, обжарить во фритюре, откинуть на салфетку и посолить.

Листик зеленого базилика обжарить во фритюре, откинуть на салфетку.

**6, 7.** Перед подачей суп довести до кипения, добавить сливки и налить в подготовленную посуду.

**8, 9.** Посыпать чипсами из чеснока, оформить каплями оливкового масла (5 г) и листиком обжаренного базилика.

# ГАСПАЧО

**Сави КЕНДЕЛ —**
шеф-повар ресторана «Аист»
(Россия). Окончил институт
Ferm Moovepick Intercontinental

*Гаспачо, в котором сочные помидоры смешались
с листьями зеленого базилика, винным уксусом
и соусом «Табаско», подается в удобном
и элегантном шоте.*

## ВАМ ПОНАДОБИТСЯ /в граммах/

Помидоры спелые **250**, базилик зеленый **3**, соус «Табаско» **5**, уксус винный **5**, масло
оливковое **5**, огурец **10**, перец болгарский красный, желтый **10**, укроп свежий **10**

## КАК ГОТОВИТЬ

**1.** Промытые помидоры нарезать, освободить от сердцевины.

**2.** В миску с помидорами добавить листья
зеленого базилика.

**3.** Влить соус «Табаско», винный уксус и
оливковое масло.

**4.** Пробить блендером.

**5.** Готовый гаспачо перелить в шоты.

**6, 7.** Огурец нарезать тонкими кружками и декорировать шот с гаспачо.

**8, 9.** Красный и желтый болгарский перец нарезать соломкой.

**10, 11.** Украсить гаспачо красным и желтым болгарским перцем и рубленым укропом.

# КРЕМ-МУСС ИЗ СПАРЖИ И ТЫКВЫ

*Шеф-повар*
**Сави КЕНДЕЛ**

*Это блюдо за счет использования осенних овощей — тыквы и зеленой спаржи, пробитых в блендере, — смотрится нежно и красиво. По колористике блюдо можно назвать «уходящим бабьим летом».*

## ВАМ ПОНАДОБИТСЯ /в граммах/

Сливки 33% **100**, тыква консервированная **50**, спаржа зеленая **50**, соль **по вкусу**, уксус бальзамический выпаренный **2**, лук зеленый **1**

## КАК ГОТОВИТЬ

**1, 2.** Сливки влить в миску и взбить венчиком до густоты сметаны.

**3.** В отдельную миску выложить консервированную тыкву и пробить ручным блендером.

**4.** Зеленую спаржу бланшировать в подсоленной воде и нарезать произвольно.

**5, 6.** Затем пробить подготовленную спаржу в блендере до образования пюре.

**7.** Вылить в шот пюре из зеленой спаржи.

**8.** Сверху столовой ложкой аккуратно выложить пюре из тыквы.

**9, 10.** Взбитые сливки поместить в кондитерский мешок и выдавить в шот завершающим слоем.

**11, 12.** Украсить выпаренным бальзамическим уксусом и фигурно нарезанным зеленым луком.

# СУП ИЗ МОЛОДОЙ ТЫКВЫ С КОПЧЕНЫМ МОЛОКОМ

*Шеф-повар*
**Дмитрий ЯКОВЛЕВ**

*Съесть кремообразный супчик — настоящий праздник ощущений. Тыква — низкокалорийный продукт, богатый клетчаткой, полезный всем в любом возрасте. Копченое молоко очень оригинально на вкус и идеально подходит протертой тыкве. Подача тоже интересна: эдакая глазунья наоборот, когда белок поменялся местами с желтком.*

## ВАМ ПОНАДОБИТСЯ /в граммах/

Тыква **500**, лук репчатый **100**, тимьян свежий **50**, чеснок **10**, соль **1**, перец черный молотый **1**, бульон овощной **1000**, молоко **1000**, бекон копченый **250**, мука миндальная **5**, масло оливковое **5**, петрушка **2**

## КАК ГОТОВИТЬ

**1.** Тыкву и репчатый лук нарезать крупными кубиками.

**2.** Добавить свежий тимьян и зубчики чеснока, соль, черный молотый перец, затем залить овощным бульоном и варить 30 минут до готовности.

**3.** Измельчить суп до однородной массы и протереть через сито.

В молоко положить копченый бекон, накрыть фольгой и поставить в духовку. Томить при температуре 95°С около 1 часа. Затем процедить.

**4.** Полученное молоко залить в сифон.

**5, 6.** Тыквенный суп вылить в тарелку, в центр выжать молоко из сифона. Посыпать миндальной мукой, добавить несколько капель оливкового масла и украсить веточкой петрушки.

# ПРОЗРАЧНЫЙ ГАСПАЧО ИЗ ТОМАТОВ С ДЫНЕЙ, АРБУЗОМ И БАЗИЛИКОМ

**Чарли ЭЙРД** —
шеф-повар отеля Courtyard
by Marriott (Москва)

*Долгий процесс приготовления оправдывается вкусовыми качествами гаспачо, приводящими сначала в шок, потом — в восторг. Конечно, сочетание помидоров с огурцами, чесноком, чили, дыней и арбузом — очень смелое, но, как показывает практика, на земле много гурманов и просто любителей всего нового и необычного. Этот великолепный холодный суп, незаменимый для летнего меню, станет также прекрасным предложением для любого фуршетного стола.*

## ВАМ ПОНАДОБИТСЯ /в граммах/

Помидоры спелые **250,** перец чили **5,** огурцы **50,** чеснок **5,** соль **по вкусу,** перец белый молотый **по вкусу,** дыня **3 шарика,** арбуз **3 шарика,** базилик зеленый **3,** масло оливковое **3**

## КАК ГОТОВИТЬ

**1.** Очень спелые помидоры разрезать и убрать из них мякоть.

**2.** Перец чили очистить от семечек.

**3.** Огурцы очистить от кожуры.

**4.** Смешать в блендере помидоры, перец чили, огурцы и чеснок. Протереть через мелкое сито.

**5.** Полученную смесь держать в холодильнике в течение ночи. Утром полученную овощную массу поместить в проложенное марлей сито и дать стечь прозрачной жидкости; добавить в нее соль и перец.

**6, 7.** Прозрачный гаспачо подавать в бокале для мартини, добавить нарезанные нуазетной ложкой шарики дыни и арбуза.

**8.** Украсить листиком зеленого базилика, сбрызнуть оливковым маслом.

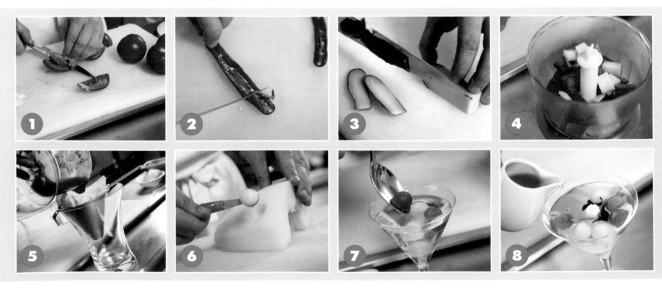

# КРЕМ-СУП ИЗ ЦУККИНИ С ОСТРЫМ МАСЛОМ

Шеф-повар
**Андреа ГАЛЛИ**

*Этот суп — моя авторская разработка. В России обычно делают крем-суп из тыквы. Я поменял главный ингредиент на цуккини и получил прекрасный суп с изумительным вкусом. Но кабачок в чистом виде показался мне не слишком интересным, поэтому я добавил к нему яичный желток, приготовленный в микроволновой печи. Такая технология создает необычный вкус и форму, что делает презентацию блюда весьма оригинальной.*

## ВАМ ПОНАДОБИТСЯ /в граммах/

**Крем-суп из цуккини:** цуккини **300**, лук репчатый **30**, вода **200**, сливки 33% **50**, масло чесночное **10**, масло сливочное **50**, соль **по вкусу**, перец черный молотый **по вкусу**, яйцо (желток) **1 шт.**, масло оливковое острое с перцем чили **5**

## КАК ГОТОВИТЬ

### Крем-суп из цуккини

**1, 2, 3.** Цуккини и репчатый лук нарезать произвольно и отварить, воду слить.

**4, 5.** Соединить подготовленные цуккини и репчатый лук со сливками, чесночным и сливочным маслом и пробить блендером до кремовой консистенции. Довести до вкуса солью и перцем.

**6, 7, 8.** Яичный желток поместить в чашку, посолить, поперчить, накрыть пленкой и прогреть в микроволновой печи 30 секунд.

**9.** Суп подогреть, налить в тарелку, в центр выложить желток и сбрызнуть оливковым маслом, настоянным на молотом перце чили.

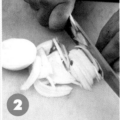
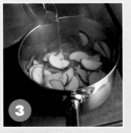

# СУП-КОКТЕЙЛЬ ИЗ СВЕКЛЫ

Шеф-повар
**Андреа ГАЛЛИ**

*Готовить суп-фреш из сырых овощей мне посоветовал друг. Этот суп сохраняет все витамины и ценные микроэлементы. Я попробовал сделать суп из сырой свеклы, однако вкус его оказался землянистым. Тогда я решил соединить вкус вареной свеклы со вкусом сырой (50 на 50), и результат оказался превосходным. И все же мне показалось, что чего-то не хватает, и я решил дополнить суп пенкой со вкусом копченой моццареллы. Получилось прекрасное сочетание сладкого с копченым. Этот рецепт рождался долго, но результат стоил того. Кстати, суп достаточно универсален, и его ингредиенты легко заменимы. Например, вместо свеклы можно использовать морковь, только тогда нужно добавить в суп немного сливок и имбиря.*

## ВАМ ПОНАДОБИТСЯ /в граммах/

**Пена из копченой моццареллы:** моццарелла буффало **400**, молоко **400**

**Суп-коктейль из свеклы:** свекла **300**, соль **по вкусу**, перец черный молотый **по вкусу**, масло оливковое **10**, лед **50**, пена из копченой моццареллы **15**

## КАК ГОТОВИТЬ

### Пена из копченой моццареллы

Моццареллу буффало поместить в металлическую емкость, направить пламя газовой горелки на сыр, обжечь его, накрыть другой металлической емкостью, завернуть в пищевую пленку, чтобы не проникал воздух, и оставить на сутки в холодильнике.

**1, 2.** Копченую моццареллу протереть через сито и соединить с молоком.

**3.** Смесь залить в сифон.

### Суп-коктейль из свеклы

**4, 5.** Свеклу (150 г) отварить, произвольно нарезать и пропустить через соковыжималку.

**6.** В получившееся свекольное пюре добавить соль, перец, оливковое масло.

**7.** Оставшуюся свеклу пропустить через соковыжималку. Свекольный фреш (100 г) соединить со свекольным пюре и перемешать.

**8, 9.** Вылить суп-коктейль в бокал со льдом и с помощью сифона украсить пеной из копченой моццареллы.

# СУП-КОКТЕЙЛЬ ГАСПАЧО СО ЛЬДОМ

*Шеф-повар*
**Андреа ГАЛЛИ**

*Супы-коктейли — это дань современной моде. Такую форму подачи я использую в летнем варианте меню, поскольку она — для холодных супов, таких как гаспачо. Придумали этот суп в Испании, однако сегодня его готовят уже по всему миру. В Италии тоже есть томатный суп, но его вкус совсем иной. Я не зря назвал этот суп коктейлем: не только подача, но и технология его приготовления близка к барной. В частности, я использую шейкер, который обычно применяется барменами для приготовления классических коктейлей.*

## ВАМ ПОНАДОБИТСЯ /в граммах/

Огурцы **125**, помидоры **250**, перец болгарский **100**, сельдерей (стебель) **50**, лук репчатый красный **25**, чеснок **10**, соль **по вкусу**, перец черный молотый **по вкусу**, масло оливковое **5**, лед **50**, оливки зеленые **4 шт.**

## КАК ГОТОВИТЬ

**1, 2, 3.** Огурцы, помидоры, болгарский перец, стебель сельдерея, красный лук и чеснок нарезать произвольно.

**4.** Подготовленные ингредиенты соединить и пробить блендером.

**5, 6.** Довести до вкуса солью и перцем, заправить гаспачо оливковым маслом и перемешать.

**7, 8.** В бокал со льдом поместить шпажку с зелеными оливками и налить гаспачо.

# СУП-КОКТЕЙЛЬ «ИТАЛИЯ»

Шеф-повар
**Андреа ГАЛЛИ**

*Этот трехслойный суп сочетает в себе цвета итальянского флага и поддерживает итальянскую кулинарную традицию — свежесть продуктов, яркость красок. Три слоя — шпинат, помидоры, йогурт — не перемешиваются между собой. Процесс их соединения происходит тогда, когда суп тянешь через трубочку: получается удивительный эффект. Этот суп, конечно, летний — легкий и освежающий.*

## ВАМ ПОНАДОБИТСЯ /в граммах/

**Бульон овощной:** лук репчатый **100**, морковь **100**, сельдерей (стебель) **100**, вода **1000**

**Крем-суп из шпината:** шпинат **150**, сливки 33% **30**, бульон овощной **100**, соль **по вкусу**, перец черный молотый **по вкусу**

**Пюре томатное:** помидоры **100**, масло оливковое **5**, соль **по вкусу**, перец черный молотый **по вкусу**

**Суп-коктейль «Италия»:** крем-суп из шпината **100**, йогурт 0,5% **60**, пюре томатное **60**, базилик зеленый **1**

## КАК ГОТОВИТЬ

### Бульон овощной

Репчатый лук, морковь и стебель сельдерея нарезать произвольно. Залить водой и варить 30 минут. Готовый бульон процедить.

## Крем-суп из шпината

**1, 2.** Шпинат соединить со сливками и овощным бульоном, отварить в течение 5 минут.

**3.** Шпинат вместе с жидкостью пробить в блендере, довести до вкуса солью и перцем.

## Пюре томатное

**4, 5.** Помидоры очистить от кожицы и семян.

**6, 7.** Пробить в блендере до консистенции пюре, добавить оливковое масло, посолить и поперчить.

## Суп-коктейль «Италия»

**8, 9.** Заполнить половину бокала для шампанского крем-супом из шпината, затем налить слой йогурта и завершить композицию томатным пюре. Украсить листиками зеленого базилика.

# СУП ИЗ ЗЕЛЕНОЙ СПАРЖИ

*Шеф-повар*
**Никола КАНУТИ**

*Зеленая спаржа — кладезь витаминов. Но использовать ее надо в сезон — весной, когда вкус у нее более насыщенный. Этот легкий, изящный суп пользуется особой популярностью у дам. Так как он не содержит мяса, его можно включать в постное меню или предлагать гостям, которые предпочитают диетическую кухню.*

## ВАМ ПОНАДОБИТСЯ /в граммах/

**Суп из зеленой спаржи:** лук-шалот **200**, чеснок **120**, спаржа зеленая **1000**, масло оливковое Extra Virgin **30**, бульон овощной **1000**, соль **по вкусу**, перец белый молотый **по вкусу**, сливки 33% **200**

**Сервировка:** спаржа отварная (верхушки) **30**, гренки **20**, кервель **10**, суп из зеленой спаржи **200**

## КАК ГОТОВИТЬ

### Суп из зеленой спаржи

**1, 2.** Лук-шалот, чеснок и зеленую спаржу нарезать небольшими ломтиками.

**3.** Подготовленные лук-шалот и чеснок обжарить на оливковом масле.

**4, 5.** Добавить зеленую спаржу, влить овощной бульон и варить 10 минут.

**6.** Готовый суп пробить в миксере, добавить соль, белый молотый перец, сливки и снова довести до кипения. Остудить в морозилке.

### Сервировка

**7, 8.** В тарелку красиво выложить верхушки отварной спаржи, гренки и веточки кервеля.

**9.** Суп из зеленой спаржи подать в отдельном соуснике.

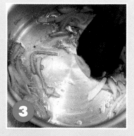

# КОНСОМЕ ИЗ ТОМАТОВ С КРЕВЕТКАМИ

*Шеф-повар*
**Никола КАНУТИ**

*Консоме из томатов обладает особым вкусом — оно легкое, нежное, невесомое. Его я дополняю черешней, ароматными фенхелем и сельдереем, добавляю кислинку уксуса и остроту белого молотого перца. В дуэте с креветками, разноцветными помидорами, оливковым маслом Extra Virgin консоме обретает феерический вкус. Презентация этого блюда в прозрачной тарелке также привлекает внимание гостей.*

## ВАМ ПОНАДОБИТСЯ /в граммах/

**Консоме из томатов:** помидоры бакинские **1000**, помидоры черные кумато **200**, помидоры желтые **200**, перец болгарский красный **300**, перец болгарский желтый **300**, фенхель **270**, сельдерей (стебель и листья) **200**, уксус винный красный **20**, черешня **50**, соус «Табаско» **10**, соль **по вкусу**, перец белый молотый **по вкусу**

**Сервировка:** помидоры черные Кумато **30**, помидоры желтые **30**, креветки 16/20 отварные **6 шт.**, огурцы **100**, консоме из томатов **150**, масло оливковое Extra Virgin **20**, черешня **15**, кервель (веточки) **10**

## КАК ГОТОВИТЬ

**Консоме из томатов**

**1, 2.** Помидоры бакинские, черные и желтые, болгарский перец, фенхель, стебель и листья сельдерея нарезать произвольно.

**3, 4.** Овощи соединить с красным винным уксусом, черешней, соусом «Табаско», солью, белым молотым перцем и пробить в блендере. Отжать через полотно.

## Сервировка

**5.** Черный и желтый помидор нарезать дольками и выложить в тарелку, сверху положить отварную креветку.

**6.** Из огурца нуазетным ножом вырезать шарики и положить в тарелку.

**7, 8.** Налить консоме из томатов, сбрызнуть оливковым маслом Extra Virgin. Украсить тонко нарезанной черешней и веточками кервеля.

# СВЕКОЛЬНИК

**Марина КАРПУШЕНКО** — шеф-повар ресторана «Гусятникoff» (Россия). Работала в ресторане «Сирена», практиковалась в ресторанах «Веранда», Shore House и «Царская охота»

*Свекольник мы готовим, используя свекольный отвар. Как и все овощные отвары, он полезен, питателен, легко усваивается организмом. Подается этот суп в двух видах посуды: гарнир — в тарелке, отвар — в соуснике. Гость сам заливает гарнир свекольным отваром и, по желанию, может сделать суп более и менее густым.*

## ВАМ ПОНАДОБИТСЯ /в граммах/

**Отвар свекольный:** свекла молодая **1000**, вода **1000**, кефир **450**, сливки 33% **310**, соль **10**, уксус **32**, сахар **16**, горчица **30**

**Свекольник:** свекла отварная **111**, редис **14**, огурцы **14**, укроп **20**, ботва свекольная **5**, лук зеленый **20**, яйцо отварное **20**, отвар свекольный **220**

## КАК ГОТОВИТЬ

### Отвар свекольный

Очищенную молодую свеклу отварить до готовности и вынуть из воды.

**1, 2, 3.** В свекольный отвар добавить кефир, сливки и довести до вкуса солью, уксусом, сахаром и горчицей.

### Свекольник

**4, 5, 6.** Отварную свеклу, редис и огурцы нарезать соломкой. Укроп, свекольную ботву и зеленый лук нашинковать. Нарезанные овощи горками уложить на холодную тарелку, сверху поместить половину вареного яйца. Осторожно подлить заправленный свекольный отвар.

# ЩИ ЗЕЛЕНЫЕ С ПЕРЕПЕЛИНЫМ ЯЙЦОМ

*Шеф-повар*
**Марина КАРПУШЕНКО**

*Костный бульон должен быть прозрачным или чуть мутноватым, на его поверхности остаются блестки жира, аромат соответствует аромату овощей, добавленных при варке.*

## ВАМ ПОНАДОБИТСЯ /в граммах/

**Щавель припущенный:** щавель **100**, масло сливочное **14**, сок лимонный **14**, соль **0,5**

**Щи зеленые:** картофель **55**, лук репчатый **20**, морковь **35**, масло сливочное **3**, бульон мясокостный **400**, щавель припущенный **100**, соль **1**, перец черный молотый **0,2**, яйцо перепелиное **1**, сметана 42% **4**

## КАК ГОТОВИТЬ

### Щавель припущенный

**1, 2, 3.** Щавель промыть, удалить жесткие стебли, порезать, припустить со сливочным маслом, лимонным соком и солью.

### Щи зеленые

**4.** Картофель нарезать брусочками, репчатый лук и морковь — соломкой.

**5.** Подготовленные репчатый лук и морковь пассеровать в сливочном масле.

**6.** Часть картофеля (250 г) отварить и растолочь.

**7.** Остальной картофель (300 г) отварить в кипящем мясо-костном бульоне в течение 5—7 минут. Соединить с пассерованными луком, морковью, припущенным щавелем и варить до готовности.

За 5 минут до окончания варки заправить толченым отварным картофелем, довести до вкуса солью и черным молотым перцем.

При подаче положить в щи разрезанное отварное перепелиное яйцо, отдельно подать сметану.

# БОРЩ С ПАМПУШКОЙ И СМЕТАНОЙ

*Шеф-повар*
**Марина КАРПУШЕНКО**

*Мясной бульон должен быть прозрачным, желтоватого цвета, с блестками жира на поверхности, его вкус и аромат — соответствовать свежесваренному мясу и овощам.*

## ВАМ ПОНАДОБИТСЯ /в граммах/

Свекла **40,** масло растительное **7,** масло топленое **7,** паста томатная **12,** сахар **4,** бульон мясокостный **350,** капуста белокочанная **52,** картофель **25,** лук репчатый **12,** морковь **5,** перец болгарский **5,** перец чили красный **1 шт.,** помидоры **20,** помидоры «Пилати» **4,** лист лавровый **1,** перец черный молотый **по вкусу,** соль **по вкусу,** чеснок **2,** сало соленое **3,** язык отварной говяжий **50,** укроп **2,** сметана **50,** пампушка с луком и перцем **2 шт.**

## КАК ГОТОВИТЬ

**1.** Свеклу нарезать соломкой, тушить в закрытой посуде с добавлением растительного и топленого масла, томатной пасты и сахара (2 г). Тушить сначала на сильном огне до кипения, затем убавить огонь. Периодически перемешивать и добавлять мясокостный бульон (50 г), чтобы свекла не пригорела. (Зрелую свеклу тушить 30—40 минут, молодую 10—15.)

**2, 3, 4, 5.** В кипящий бульон (300 г) положить нарезанную белокочанную капусту, довести до кипения, добавить нарезанный брусочками картофель и через 5 минут — тушеную свеклу, пассерованные репчатый лук и морковь, очищенные от плодоножек и семян и нарезанные соломкой болгар-

**1**

**2**

**3**

**4**

**5**

**6**

**7**

ский перец, красный перец чили, очищенные от кожицы помидоры. Варить борщ 20—30 минут. За 10—15 минут до окончания варки положить специи (лавровый лист и черный молотый перец), довести до вкуса солью и сахаром (2 г).

**6, 7.** Готовый борщ заправить рубленым чесноком с салом, нарезанным отварным говяжьим языком и укропом.

Отдельно подать сметану и пампушки с луком и перцем.

## Примечание

*Чтобы придать борщу красивый, яркий цвет, надо приготовить свекольный настой: очищенную свеклу натереть на терке, залить горячим бульоном (1 л на 500 г свеклы), добавить уксус, кислый квас или рассол от квашеных овощей, довести до кипения. Затем настой нужно выдержать на краю плиты в течение 15—20 минут и влить в борщ в конце приготовления. Борщ должен иметь кисло-сладкий вкус и темно-красный цвет.*

# СУП ИЗ КРАСНОЙ ЧЕЧЕВИЦЫ

**Джонатан КЕРТИС** —
шеф-повар ресторана Mr.Lee

*Я считаю, что супы должны подаваться не слишком густыми, даже если это суп-пюре. В каждом случае для подачи нужно подбирать правильную посуду. Одни супы очень выгодно смотрятся в стакане, чашке или специальной тарелке. Некоторые могут подаваться сразу в нескольких емкостях. Например, мое консоме из лобстера в Mr.Lee выглядит так: жидкость подносится в чайнике, а пельмени укладываются в стакан.*

## ВАМ ПОНАДОБИТСЯ /в граммах/

Лук-шалот **80,** лемонграсс **10,** перец болгарский красный **100,** помидор **70,** чеснок **10,** перец чили (без семян) **10,** кориандр **100,** масло растительное **50,** лобстер **1 шт.,** чечевица красная **100,** бульон куриный **2000,** соль **по вкусу,** перец черный молотый **по вкусу,** паста томатная **10,** лайм **1 шт.,** соус рыбный **по вкусу,** масло сливочное **10,** кориандр (листья) **2**

## КАК ГОТОВИТЬ

**1.** Лук-шалот, лемонграсс, красный болгарский перец, помидор, чеснок, перец чили и кориандр нарезать произвольно.

**2.** Поместить в блендер, добавить растительное масло и пробить до консистенции пюре.

**3.** Получившееся пюре процедить в кастрюлю и варить, пока масло не отделится.

**4.** Клешни лобстера добавить в суп и варить, пока панцирь не поменяет цвет.

**5.** Добавить красную чечевицу и варить еще 2 минуты.

**6.** Влить куриный бульон и варить 40 минут.

**7.** Достать клешни, еще раз пробить суп в блендере и процедить.

Поставить кастрюлю с супом на плиту

и варить на слабом огне до желаемой консистенции. Добавить соль, черный молотый перец, томатную пасту, сок лайма и рыбный соус.

**8, 9.** Мясо из хвоста лобстера слегка обжарить на сливочном масле и использовать как гарнир к супу. Украсить тарелку листьями кориандра.

# ГАСПАЧО

*Шеф-повар*
**Джонатан КЕРТИС**

*Я люблю, когда блюда имеют температуру чуть выше комнатной, только так я могу распробовать все компоненты. Однако некоторые предпочитают есть супы очень горячими — прямо с плиты. Очевидно, что холодные супы должны подаваться охлажденными, в каких-то случаях даже с размельченным льдом. Это касается, в частности, гаспачо. Особую вкусовую «изюминку» этому супу придают кусочки авокадо, которые выступают в роли топпинга.*

## ВАМ ПОНАДОБИТСЯ /в граммах/

**Гаспачо:** огурцы **115**, перец болгарский красный **50**, сельдерей (стебель) **10**, помидоры **600**, лук репчатый красный **230**, хлеб белый **60**, чеснок **2**, сок томатный **160**, уксус винный красный **10**, перец чили свежий **10**, базилик зеленый свежий **2**, сок лимонный **2**, соль **по вкусу**, перец черный молотый **по вкусу**

**Сервировка:** авокадо **40**, лук красный **10**, петрушка **5**, масло оливковое **5**, гаспачо **250**

## КАК ГОТОВИТЬ

### Гаспачо

**1, 2.** Огурцы очистить от семян и нарезать произвольно.

**3, 4.** Подготовленный красный болгарский перец и стебель сельдерея нарезать ломтиками, помидоры и красный репчатый лук — дольками.

Мякоть белого хлеба отделить от корок, нарезать кусочками.

**5.** Нарезанные огурцы, болгарский перец, стебель сельдерея, помидоры, репчатый лук, чеснок и белый хлеб соединить.

**6.** Добавить томатный сок, красный винный уксус, свежий перец чили, зеленый бази-

лик, лимонный сок и оставить мариноваться на сутки.

**7.** Пробить все компоненты в блендере, добавить соль и черный молотый перец.

## Сервировка

**8.** Авокадо, испанский лук и петрушку нарезать небольшими кусочками и заправить оливковым маслом.

**9.** Выложить горкой в центр тарелки с гаспачо.

# МОРКОВНЫЙ СУП С ЖАРЕНЫМ МЕДОМ

*Шеф-повар*
**Джонатан КЕРТИС**

*Большая часть моих блюд готовится традиционным способом, но я всегда пытаюсь изменять вкусы, чтобы сделать каждое блюдо уникальным. Приготовление супов я обычно начинаю с высоких температур, затем добавляю нужные ингредиенты, довожу до кипения и понижаю температуру. На маленьком огне продукты начинают раскрывать свои ароматы. Соль, перец я добавляю в середине приготовления, а перед подачей — приправы. Эта последовательность важна, чтобы сохранить все вкусы и ароматы. В морковном супе тоже важно выдержать очередность. Сметану, мед следует добавлять в самом конце.*

## ВАМ ПОНАДОБИТСЯ /в граммах/

Лук репчатый **80,** сельдерей (стебель) **120,** чеснок **12,** морковь **300,** картофель **180,** лук-порей **180,** тимьян **2,** соль **по вкусу,** перец черный молотый **по вкусу,** масло оливковое **50,** мед **55,** бульон куриный **2000,** сливки 33% **200,** масло сливочное **50,** сметана 24% **10**

## КАК ГОТОВИТЬ

**1, 2.** Репчатый лук, стебель сельдерея, чеснок, морковь, картофель и лук-порей нарезать крупными кусками.

**3, 4.** Выложить овощи на противень, добавить тимьян, соль, черный молотый перец, оливковое масло. Полить медом (50 г) и перемешать.

Накрыть фольгой и поставить в духовку при температуре 180°C на 10—15 минут, пока овощи не поменяют цвет.

**5.** Переложить овощи в кастрюлю, залить куриным бульоном, довести до кипения и наполовину уменьшить огонь. Готовить 20 минут.

**6, 7, 8.** Вынуть овощи из бульона и поместить в блендер, добавить сливки и сливочное масло. Пробить до консистенции пюре и процедить через сито.

**9.** В тарелку с супом положить ложку сметаны и влить тонкой струйкой мед (5 г).

# КУКУРУЗНЫЙ СУП

*Шеф-повар*
**Джонатан КЕРТИС**

*Кукурузный суп имеет азиатское происхождение.*
*Он очень приятен на вкус и полезен для здоровья.*

## ВАМ ПОНАДОБИТСЯ /в граммах/

Лук-шалот **40**, чеснок **15**, масло оливковое **20**, кукуруза **900**, вермут **70**, бульон куриный **1300**, соль **по вкусу**, перец черный молотый **по вкусу**, сливки 33% **45**, кориандр (стебли) **25**, филе куриное (грудка) **100**, картофель **100**, кориандр (листья) **15**

## КАК ГОТОВИТЬ

**1, 2.** Лук-шалот и чеснок мелко нарезать и обжарить на оливковом масле.

**3.** Зерна кукурузы отделить от початка (850 г), добавить к луку-шалоту с чесноком и обжарить до золотистого цвета.

**4.** Влить вермут, куриный бульон, добавить соль, черный молотый перец и варить до мягкости.

**5.** Уменьшить огонь наполовину, добавить сливки, стебли кориандра и варить еще 3 минуты.

**6.** Приготовленную массу перелить в блендер и пробить до однородной консистенции.

**7, 8.** На сковороде обжарить кусочки куриного филе, кубики картофеля, зерна кукурузы (50 г) и использовать в качестве гарнира к супу.
Украсить пиалу с супом листьями кориандра.

# СУП КАРТОФЕЛЬНЫЙ С КЛЕЦКАМИ

**Александр МУРАВЛЕВ —** шеф-повар ресторана «Зарубежье» (Россия)

*Клецки в суп добавляются ложечкой маленькими комочками — получается практически ювелирная работа. Этот суп пришел к нам из старинной русской кухни.*

## ВАМ ПОНАДОБИТСЯ /в граммах/

Картофель **80,** морковь **20,** лук репчатый **20,** соль **2,** бульон куриный **180,** масло растительное **12,** яйцо **1/2 шт.,** мука пшеничная **25,** перец черный молотый **0,2,** лист лавровый **0,2,** укроп **2,** сметана 20% **30**

## КАК ГОТОВИТЬ

**1, 2.** Картофель, морковь и репчатый лук нарезать кубиками.

**3.** Картофель положить в кипящий, слегка подсоленный бульон и варить до полуготовности 20—25 минут.

**4.** Нарезанные морковь и репчатый лук пассеровать на растительном масле.

**5.** Яйцо смешать с пшеничной мукой до однородной консистенции.

**6.** За 10—15 минут до готовности картофеля положить в бульон пассерованные репчатый лук и морковь, черный молотый перец, лавровый лист.

**7.** При помощи чайной ложки небольшими порциями выложить яично-мучную массу в кипящий бульон.

**8.** В конце варки добавить мелкорубленый укроп. Подавать со сметаной.

# ЩИ «ГРИБОЕДОВСКИЕ»

*Шеф-повар*
**Александр МУРАВЛЕВ**

*Этот суп мне нравится своим насыщенным вкусом. В состав входят квашеная капуста и белые грибы, поэтому его правильнее будет отнести к «зимним» супам. Подаются щи традиционно в керамических горшочках. Суп получается наваристый — как раз то, что требуется в зимние холода.*

## ВАМ ПОНАДОБИТСЯ /в граммах/

Картофель **40**, лук репчатый **15**, морковь **15**, помидоры **20**, капуста квашеная **50**, масло растительное **12**, грибы белые с/м **20**, соль **2**, бульон мясной или вода **160**, перец черный молотый **0,2**, лист лавровый **0,2**, петрушка **2**, сметана 20% **30**

## КАК ГОТОВИТЬ

**1, 2, 3.** Картофель нарезать небольшими брусочками, репчатый лук и морковь — соломкой, помидоры — дольками.

**4.** Квашеную капусту припустить в небольшом количестве воды.

**5.** Подготовленные репчатый лук и морковь пассеровать на растительном масле вместе с белыми грибами.

В кипящий, слегка подсоленный мясной бульон (или в подсоленную воду) положить нарезанный картофель и варить до полуготовности 25—30 минут.

**6.** Затем добавить припущенную квашеную капусту.

**7, 8.** За 10—15 минут до окончания варки положить в суп пассерованные репчатый лук и морковь с белыми грибами, дольки свежих помидоров, черный молотый перец, лавровый лист.

**9.** Перед подачей добавить мелкорубленую петрушку. Подавать со сметаной.

# СВЕКОЛЬНИК НА ДОМАШНЕМ КВАСЕ

*Шеф-повар*
**Александр МУРАВЛЕВ**

*Свекольник — чисто русский суп. Ингредиенты в него идут примерно те же, что и на окрошку, а отвар — как в борщ, только холодный. Квас в этот суп добавляется исключительно пастеризованный, в противном случае есть риск, что суп забродит.*

## ВАМ ПОНАДОБИТСЯ /в граммах/

Свекла **50**, сахар **15**, уксус столовый **5**, перец черный молотый **0,2**, лист лавровый **0,2**, картофель **30**, яйцо **1/2 шт.**, укроп **5**, лук зеленый **5**, соль **2**, хрен сливочный **2**, горчица столовая **2**, огурцы **20**, квас пастеризованный **160**, сметана 20% **30**, ветчина **20**

## КАК ГОТОВИТЬ

**1.** Свеклу нарезать мелкими брусочками.

**2.** Залить водой и тушить до полной готовности 30—40 минут с добавлением сахара, столового уксуса, черного молотого перца и лаврового листа. Готовую свеклу остудить.
Картофель отварить в мундире, остудить, очистить.

**3.** Яйца сварить, очистить и отделить желтки от белков.

**4, 5.** Укроп и зеленый лук мелко порубить и растереть с солью, желтками, сливочным хреном и горчицей.

**6, 7.** В ту же посуду натереть на терке картофель, огурцы и яичные белки.

**8, 9.** Добавить квас, тушеную свеклу вместе с отваром, перемешать, довести до вкуса и охладить. Подавать свекольник холодным с добавлением сметаны и ветчины, нарезанной брусочками.

# БИСК ИЗ КОПЧЕНЫХ ПОМИДОРОВ

**Владимир МУХИН** — шеф-повар ресторана-кафе «Булошная», обладатель диплома Academie Francaise de Art Gastronomique, золотой призер Международного Кулинарного Кубка Кремля, член Национальной гильдии шеф-поваров и Московской ассоциации кулинаров

*Суп из копченых помидоров — одна из разновидностей томатных супов. Здесь я использую помидоры, высушенные естественным способом. Они не подвергались термической обработке, а потому имеют ярко выраженный сладкий вкус, без лишней кислоты. Копченые помидоры выступают в этом блюде в качестве гарнира, который подается отдельно. Гость сам заливает его супом, поданным в бокале, и добавляет по вкусу топпинги (бальзамический уксус, оливковое масло и соус «Айоли») в нужном ему количестве. Таким образом, он сам участвует в творческом процессе.*

## ВАМ ПОНАДОБИТСЯ /в граммах/

**Помидоры копченые:** помидоры конкассе **140**

**Биск:** лук-порей **60**, сельдерей (стебель) **60**, лук репчатый **60**, пастернак **30**, тимьян **2 ст. л.**, бульон овощной **750**, помидоры пальчиковые в собственном соку **800**, пюре томатное **240**, помидоры, сушенные на солнце **30**, помидоры копченые **100**, рис отварной **115**, соль **по вкусу**, перец черный молотый **по вкусу**

**Соус «Айоли»:** яйцо (желток) **2 шт.**, чеснок **7**, уксус винный белый **30**, вода **15**, масло растительное **480**, масло оливковое **300**, сок лимонный **10**, соль **по вкусу**, перец черный молотый **по вкусу**

**Сервировка:** биск **200**, тимьян свежий **1 веточка**, сыр моццарелла **5 шариков**, помидоры копченые **40**, багет **15**, тапенад **45**, уксус бальзамический **60**, масло оливковое **60**, соус «Айоли» **150**

## КАК ГОТОВИТЬ

### Помидоры копченые

**1.** Помидоры конкассе выложить на решетку и вставить в жаровню над тонким слоем щепы из твердой древесины.

Накрыть туго прилегающей крышкой или фольгой и поставить на огонь. Коптить 6—8 минут.

Готовые помидоры нарезать кубиками и отложить.

### Биск

**2, 3.** Лук-порей, стебель сельдерея, репчатый лук и пастернак нарезать соломкой. Листики тимьяна отделить от стеблей и мелко порубить.

**4.** Подготовленные лук-порей, стебель сельдерея, репчатый лук и пастернак тушить в овощном бульоне (250 г) до мягкости в течение 10 минут.

**5, 6.** Добавить остальной бульон (500 г), помидоры в собственном соку, томатное пюре, сушенные на солнце помидоры, копченые помидоры и нарезанные листики тимьяна. Размешать и варить на медленном огне 30 минут.

**7.** Добавить отварной рис и варить еще 15 минут.

Пробить блендером до консистенции пюре, приправить солью и черным молотым перцем.

### Соус «Айоли»

Яичные желтки, чеснок, белый винный уксус, воду, растительное и оливковое масло, лимонный сок, соль и черный молотый перец соединить и взбить в миксере до однородной консистенции.

### Сервировка

**8.** Биск налить в бокал. Украсить веточкой свежего тимьяна.

**9.** На тарелку выложить шарики сыра моцарелла и посыпать кубиками копченых помидоров.

К каждой порции можно подать ломтик багета, намазанный тонким слоем тапенада.

Отдельно подать бальзамический уксус, оливковое масло и соус «Айоли».

# СУП ИЗ ОРЕХОВОЙ ТЫКВЫ «БАТТЕРНАТ»

*Шеф-повар*
**Владимир МУХИН**

*Ореховая тыква «Баттернат» — продукт зимний, поэтому и супчик этот больше тяготеет к зимнему меню. Данный сорт набирает наиболее насыщенный вкус в ноябре. Из тыквы кроме супа также можно делать кашу, соус, запекать ее с сахаром, подавать с пармской ветчиной — во всех видах она хороша. Тыква «Баттернат» имеет красивую правильную форму, которую можно использовать для оформления, например, сделав из нее специальную емкость для супа. В качестве сопровождения я подаю жаренных на шпажках креветок.*

## ВАМ ПОНАДОБИТСЯ /в граммах/

**Суп из тыквы:** тыква ореховая «Баттернат» **700**, масло сливочное **300**, лук-шалот **200**, картофель **400**, бульон овощной **1000**, сливки 33% **140**, соль **по вкусу**, перец черный молотый **по вкусу**

**Сервировка:** креветки жареные **45**, суп из тыквы **200**, базилик зеленый **3**, лайм **3**

## КАК ГОТОВИТЬ

### Суп из тыквы

Ореховую тыкву очистить от семечек и нарезать крупными кусками.
Разогреть духовку с конвекцией до температуры 100°С, положить тыкву на противень срезом вверх, добавить сливочное масло (100 г) и варить на пару 45 минут или до мягкости.

**1.** Лук-шалот нашинковать, картофель нарезать кубиками.

**2.** Растопить в кастрюле оставшееся масло (200 г), обжарить подготовленные лук-шалот и картофель.

**3, 4.** Влить овощной бульон, добавить куски тыквы, накрыть крышкой, довести до кипения и варить 15 минут.

Получившийся суп взбить в блендере и вернуть в кастрюлю.
Добавить сливки и разогревать, не доводя до кипения. Приправить солью и черным молотым перцем.

### Сервировка

**5.** Жареных креветок очистить от панциря, оставив последнее звено с хвостиком, насадить на шпажки и обжарить на гриле.
В емкость из маленькой тыквы налить суп, украсить листиком зеленого базилика и долькой лайма.
Подавать с жареными креветками.

# ЗНАМЕНИТЫЙ КАРТОФЕЛЬНЫЙ СУП С МОЛОДЫМ ГОРОХОМ И ВЯЛЕНЫМИ ПОМИДОРАМИ

**Денис ПЕРЕВОЗ —** шеф-повар кафе «Чехов» (Россия). Член Национальной гильдии шеф-поваров. Стажировался в известных ресторанах Италии и Франции, работал в московских ресторанах «Шейх», «Готье Нищий», «Грандъ-опера», «Галерея», сети ресторанов ОАО «Газпром». Призер кулинарных конкурсов и чемпионатов, участник и ведущий кулинарных шоу и программ на российских телеканалах

*В этом картофельном супе главная «изюминка» — молодой горошек, который придает вкусу особую пикантность. Ароматное оливковое масло высокого качества и вяленые помидоры создают привкус Средиземноморья. Этот суп и легкий, и насыщенный одновременно, поэтому подойдет как для летнего, так и для зимнего меню.*

## ВАМ ПОНАДОБИТСЯ /в граммах/

**Консоме куриное:** сельдерей (корень) **150**, лук-порей **100**, морковь **150**, вода **10000**, курица **1000**, розмарин свежий **10**, апельсин **120**, шафран **1**

**Пюре картофельное:** картофель **100**, соль цветочная **2**, масло оливковое **20**

**Чипсы из баклажанов и цуккини:** баклажаны **50**, цуккини **50**

**Картофельный суп:** консоме куриное **180**, пюре картофельное **50**, горошек зеленый **30**, помидоры вяленые **10**, перец черный молотый **1**, масло оливковое **10**, чипсы из баклажанов и цуккини **100**

## КАК ГОТОВИТЬ

### Консоме куриное

Корень сельдерея, лук-порей и морковь произвольно нарезать.

В кастрюлю с водой поместить обработанную курицу, подготовленные овощи, свежий розмарин и очищенный апельсин.

**1, 2.** Варить на медленном огне 3 часа. Процедить и добавить в бульон шафран. Охладить.

### Пюре картофельное

Картофель очистить и отварить в воде до готовности. Размять с цветочной солью и оливковым маслом.

### Чипсы из баклажанов и цуккини

Разрезать вдоль тонкими ломтиками баклажаны и цуккини, выложить на си-

ликоновый коврик и сушить в духовке 1 час при температуре 95°C.

### Картофельный суп

**3, 4.** Подогретое куриное консоме соединить с картофельным пюре, перемешать с помощью венчика.

**5, 6, 7.** Добавить зеленый горошек, нарезанные вяленые помидоры, черный молотый перец, хорошо перемешать.

**8, 9.** Налить суп в тарелку и сбрызнуть оливковым маслом (2 г).

Отдельно подать чипсы из баклажанов и цуккини и пиалку с оливковым маслом (8 г).

# ФРАНЦУЗСКИЙ ЛУКОВЫЙ СУП С ГРЕНКАМИ И СЫРОМ

**Руслан ШМИДОВ —** шеф-повар ресторанного комплекса «Куркино»

*Луковый суп — французская классика. Главная фишка в нем — получить нужный вкус. Для этого лук необходимо довести до нужной консистенции, а именно томить, пока он не начнет выделять сахар, а затем уж добавлять остальные ингредиенты.*

## ВАМ ПОНАДОБИТСЯ /в граммах/

**Суп луковый:** лук репчатый **2800**, масло сливочное **300**, бульон говяжий **1000**, демиглас **30**, соль **1**, перец черный молотый **10**, укроп **10**

**Сервировка:** яйцо (желток) **1 шт.**, портвейн **10**, масло оливковое **10**, суп луковый **300**, гренки хлебные **12**, сыр пармезан тертый **10**, петрушка **2**

## КАК ГОТОВИТЬ

### Суп луковый

**1.** Репчатый лук очистить и нарезать полукольцами.

**2.** Выложить в сотейник вместе со сливочным маслом и тушить на слабом огне 20—30 минут, стараясь меньше мешать: нужно, чтобы лук дал сок и сахар.

**3, 4.** Залить говяжьим бульоном и демигласом, добавить соль, черный молотый перец и варить 10—15 минут. В конце добавить рубленый укроп.

**Сервировка**

**5, 6.** Желток, портвейн и оливковое масло взбить венчиком. Смесь влить по кругу в тарелку с подогретым луковым супом.

**7, 8.** Положить сверху хлебные гренки и тертый сыр пармезан, запечь суп в ростере в течение 2—3 минут. Украсить суп веточкой петрушки.

# КРЕМ-СУП ИЗ ЗЕЛЕНОГО ГОРОШКА С БЕКОНОМ И СЕМГОЙ

*Шеф-повар*
**Руслан ШМИДОВ**

*В этом супе я использовал нестандартное сочетание бекона и семги. Обычно бобовые выступают в отличном дуэте с копченостями. В моей авторской разработке появился третий компонент — семга, которая, на мой взгляд, только улучшила и разнообразила привычный вкус.*

## ВАМ ПОНАДОБИТСЯ /в граммах/

**Крем-суп:** лук репчатый **250**, бекон в/к **250**, масло растительное **50**, горошек зеленый **900**, бульон куриный (прозрачный) **300**, лист лавровый **1**, соль **2**, перец черный молотый **2**, тимьян свежий **1**

**Сервировка:** крем-суп **250**, сливки 33% **15**, семга с/с **35**, перец черный молотый **1**, петрушка **1**

## КАК ГОТОВИТЬ

### Крем-суп

**1, 2.** Репчатый лук нарезать кольцами, варено-копченый бекон мелко порубить.

**3, 4, 5.** В глубоком сотейнике с растительным маслом соединить подготовленные репчатый лук, зеленый горошек, бекон и обжарить в течение 20—30 минут.

**6.** Залить прозрачным куриным бульоном, положить лавровый лист, посолить, поперчить и варить 30 минут.

**7.** Готовый суп пробить блендером (предварительно убрав лавровый лист) и процедить. Для аромата можно добавить веточку тимьяна.

**Сервировка**

**8.** В тарелку налить крем-суп, по кругу полить сливками.

**9.** В центр выложить ломтики слабосоленой семги и посыпать черным молотым перцем. Украсить листиком петрушки.

# КРЕМ-СУП ИЗ СПАРЖИ С ТЫКВЕННЫМИ СЕМЕЧКАМИ И БОЛГАРСКИМ ПЕРЦЕМ

*Шеф-повар*
**Руслан ШМИДОВ**

*В этом крем-супе из спаржи я использовал интересный компонент — тыквенные семечки, а точнее шарики из них. Чтобы получить такие шарики, нагревать семечки надо на маленьком огне, от чего они начинают раздуваться, подобно попкорну, и приобретают очень интересный вкус и хрустящую текстуру. Примерно так же можно приготовить и картофельные чипсы. Главное — уметь правильно сбалансировать температуру нагрева.*

## ВАМ ПОНАДОБИТСЯ /в граммах/

**Крем-суп из спаржи:** спаржа зеленая **400**, лук репчатый **120**, масло растительное **20**, лист лавровый **1**, тимьян свежий **1**, бульон куриный (прозрачный) **800**, соль **2**, перец черный молотый **2**

**Сервировка:** крем-суп из спаржи **210**, спаржа зеленая (верхушки) **50**, семечки тыквенные **10**, сливки 33% **20**, перец болгарский красный **10**

## КАК ГОТОВИТЬ

### Крем-суп из спаржи

**1.** Зеленую спаржу очистить, верхушки отрезать и отложить.

Основания спаржи и репчатый лук нарезать соломкой и пассеровать в сотейнике на растительном масле.

**2, 3.** Добавить лавровый лист, свежий тимьян, залить прозрачным куриным бульоном, посолить, поперчить и варить 20—30 минут.

**4, 5.** Получившийся суп пробить блендером и протереть через сито.

## Сервировка

**6, 7.** Перед подачей крем-суп из спаржи прогреть, бланшировать в нем верхуш-ки зеленой спаржи, достать их и нарезать небольшими ломтиками.

**8.** Выложить ломтики подготовленной зеленой спаржи в центр тарелки, залить крем-супом, сверху насыпать тыквенные семечки.

**9.** Полить по кругу сливками и украсить мелкорубленым красным болгарским перцем.

# КРЕМОВЫЙ СУП ИЗ БАКЛАЖАНОВ

**Ян ГИЦЕЛЬТЕР —**
шеф-повар ведущей
кейтеринговой компании
Food Art (Израиль)

*Это мое авторское блюдо. Я люблю баклажаны
практически в любом виде, а в этом супе они
получаются особенно нежными. Блюдо украшено теми
же продуктами, из которых готовится суп.
Это создает нужную вкусовую гармонию, а также
очень рационально и экономично.*

## ВАМ ПОНАДОБИТСЯ /в граммах/

Баклажаны **6 шт.**, морковь **3 шт.**, лук репчатый **2 шт.**, лук-порей **1 шт.**, масло оливковое **50**, чеснок **3 зубчика**, тимьян свежий (листики) **5–7 веточек**, лист лавровый **2 шт.**, вино сухое белое **0,5 стакана**, масло сливочное **50**, вода холодная **1 стакан**, молоко **500**, сливки 42% **500**, соль **по вкусу**, перец черный молотый **по вкусу**, сыр сент-мор (полумягкий козий) **100**, семена помидоров **из 5 шт.**

## КАК ГОТОВИТЬ

**1.** Баклажаны запечь целиком (желательно на открытом огне) и отложить в сторону, чтобы остыли.

**2.** Морковь очистить и порубить кубиками, нарезать репчатый лук и лук-порей (только белую часть).

**3.** В глубокой кастрюле разогреть оливковое масло и припустить в нем овощи.

**4.** Добавить чеснок, тимьян (4 веточки), лавровый лист и тушить 5 минут. Влить белое вино и выпарить.

**5.** Ввести сливочное масло.

**6.** Запеченные баклажаны очистить от кожуры и семян.

**7.** Добавить в кастрюлю с овощами, немного размять, перемешать, влить холодную воду и тушить до готовности.

**8.** Разбавить смесь молоком и сливками, довести до кипения, уменьшить огонь и варить около часа, время от времени помешивая.

**9.** Пробить суп блендером до однородной массы. Процедить, посолить, поперчить.

**10.** Пропустить суп через сито. В глубокую тарелку налить баклажановый суп, сверху выложить ложку сыра, семена помидоров и оставшиеся листики тимьяна.

### Примечание

*Этот суп можно заморозить и хранить в морозильнике до 1 месяца. Единственное условие: не солить и не перчить его перед заморозкой, так как после размораживания он окажется слишком соленым.*

# АНДАЛУЗСКИЙ ГАСПАЧО

**Светлана КИРПИЧНИКОВА** — шеф-повар клуба «Экипаж». Работала в гостинице «Салют», ресторане «Московский», казино «Винсо-Гранд»

## ВАМ ПОНАДОБИТСЯ /в граммах/

Суп гаспачо **200,** масло оливковое **1,** перец черный молотый **1,** тимьян **1,** гренки чесночные **8,** стебель сельдерея **9,** перец болгарский красный **11,** огурец **15,** помидор **20**

**Суп гаспачо:** огурцы свежие **160,** перец болгарский красный **290,** помидоры свежие **650,** сок томатный **2000,** стебель сельдерея **100,** кинза **10,** чеснок **20,** белый хлеб (нарезной) **110,** масло оливковое **60,** соль **10,** перец белый молотый **5,** соус «Табаско» **5**

**Гренки чесночные:** багет **2 кусочка,** чесночное масло **2**

## КАК ГОТОВИТЬ

- В тарелку налить суп гаспачо.
- Декорировать оливковым маслом, черным молотым перцем, тимьяном.
- На отдельную тарелку положить гренки, стебель сельдерея, болгарский перец, огурец, очищенный от кожи и семян помидор, нарезанные кубиками.

### Суп гаспачо
- Огурцы очистить.
- Перец болгарский и помидоры освободить от семян.
- Все продукты мелко нарезать и соединить с томатным соком.
- Сельдерей и кинзу пропустить через соковыжималку.

- Чеснок мелко нарубить.
- У белого хлеба срезать корки (использовать мякоть).
- Все ингредиенты соединить с добавлением оливкового масла, соли, перца, соуса «Табаско».
- Подготовленную массу убрать на сутки в холодильник.
- Через сутки все ингредиенты пробить в блендере и пропустить через сито.

### Гренки чесночные
- Кусочки багета смазать чесночным маслом и запечь в ростере до хрустящего состояния.

# НЕЖНЫЙ СУП-ЭСПУМА ИЗ ОГУРЦОВ И ЦУККИНИ, ПРИПРАВЛЕННЫЙ БАЗИЛИКОМ

**Кристиан СИНИКРОПИ —** шеф-повар легендарного ресторана La Palme d'Or (2 звезды Michelin) и всех ресторанов отеля Martinez (Франция).

*Этот легкий пикантный суп из огурцов и цуккини имеет исключительно освежающий вкус. Необычность сочетания ингредиентов и оригинальность подачи делают его привлекательным предложением для любого гостя.*

## ВАМ ПОНАДОБИТСЯ /в граммах/

**Суп-эспума из огурцов и цуккини:** огурцы **250**, цуккини **250**, сливки 33% **50**, молоко **50**, соль **3**

**Взбитые сливки с базиликом и мятой:** сливки 33% **50**, базилик зеленый **3 листика**, мята **2 листика**, сок лимонный **5–7**, соль **по вкусу**

**Декор из цветка цуккини:** масло фритюрное **500**, цветок цуккини **1 шт.**, льезон **10**

**Сервировка:** суп-эспума из огурцов и цуккини **120**, взбитые сливки с базиликом и мятой **50**, сыр фетаки **20**, перец черный дробленый **по вкусу**, масло оливковое **3**, сироп лимонный (лимончелло) **1 ч. л.**, декор из цветка цуккини **1 шт.**, мята **1 листик**

## КАК ГОТОВИТЬ

### Суп-эспума из огурцов и цуккини
- Огурцы и цуккини помыть, разрезать пополам и очистить ложкой от зерен.
- Не снимая кожуры, порезать на маленькие кусочки.
- В кастрюлю с огурцами и цуккини влить сливки и молоко, посолить и довести до кипения.
- Снять с огня, перемешать и охладить.
- Хранить в холодильнике и подавать охлажденным.

### Взбитые сливки с базиликом и мятой
- Сливки взбить и добавить к ним мелко порезанную зелень базилика и мяты.

- Приправить лимонным соком, добавить соль, перемешать и убрать в холодильник.

### Декор из цветка цуккини
- Фритюрное масло залить в кастрюлю и подогреть.
- Цветок цуккини разрезать пополам, кисточкой деликатно намазать с двух сторон льезоном и положить в кастрюлю с разогретым маслом буквально на минуту.
- Выложить цветок на бумажное полотенце и дать стечь маслу.

## Сервировка

- В блендере взбить суп-эспума из огурцов и цуккини до однородной массы.
- Получившейся массой наполнить холодный круглый стакан до половины.
- Добавить взбитые сливки с мятой и базиликом и сыр фетаки, порезанный на маленькие кубики и посыпанный черным дробленым перцем.
- Сверху сбрызнуть оливковым маслом с лимонным сиропом (лимончелло).
- Украсить блюдо декором из цветка цуккини и листиком мяты.

# ВЕЛЮТЕ ИЗ КРАСНОГО СЛАДКОГО ПЕРЦА С ИМБИРЕМ, СРЕДИЗЕМНО-МОРСКИМИ МОЛЛЮСКАМИ И ЧИПСАМИ ИЗ СЫРА ПАРМЕЗАН

**Ален БЮРНЕЛЬ —**
шеф-повар ресторана
L'Oustau de Baumaniere
(Франция)

*Блюдо «Велюте из средиземноморских моллюсков и красного сладкого перца» родом из регионов Прованса и Средиземноморья. Я «приправил» его легкими азиатскими нотками, добавив имбирь, что придало супу особый шарм и неповторимость.*

## ВАМ ПОНАДОБИТСЯ /в граммах/

Перец болгарский красный **600,** масло сливочное **40,** сливки 33% **1000,** бульон куриный **25,** имбирь **10,** сыр пармезан тертый **300,** лук-шалот **100,** петрушка **50,** моллюски средиземноморские **400,** вино сухое белое **500,** сливки взбитые **20,** лук-сибулет **50**

## КАК ГОТОВИТЬ

- Приготовить велюте:
  — красный перец разрезать пополам, вынуть семена, порезать крупными кубиками и обжарить в сливочном масле;
  — когда перец приобретет слегка золотистый цвет, добавить сливки, куриный бульон и нарезанный мелко имбирь;
  — оставить на огне на 10 минут;
  — все перемешать, оставить томиться еще 5 минут, затем откинуть на дуршлаг.

- Приготовить в ростере чипсы из тертого сыра пармезан.
- Лук-шалот и петрушку мелко нарезать.
- Моллюсков хорошо промыть и очистить, добавить к ним белое сухое вино, подготовленные лук-шалот и петрушку. Оставить мариноваться.
- На дно глубокой тарелки или пиалы выложить подготовленных моллюсков, затем налить велюте, сверху добавить взбитые сливки, украсить сырными чипсами и стрелками лука-сибулета.

# СУП ИЗ СЛАДКОЙ КУКУРУЗЫ С ХРУСТЯЩИМ КРАБОМ

**Филипп ДЕВЕНПОРТ** —
шеф-повар ресторана
Ku De Ta

## ВАМ ПОНАДОБИТСЯ /в граммах/

Масло оливковое **6**, масло сливочное **20**, лук-шалот **20**, чеснок **1**, краб **1 шт.**, бульон куриный **125**, сливки 33% **62**, кукуруза консервированная **125**, зелень свежая **12**

## КАК ГОТОВИТЬ

- Оливковое масло смешать со сливочным, на этой смеси обжарить мелко порезанные лук-шалот и чеснок, вынуть.
- В той же сковороде обжарить кусочки краба.

- В разогретый куриный бульон добавить сливки, измельченную до состояния пюре кукурузу, затем обжаренные лук и чеснок. Пробить в блендере.
- Украсить обжаренным крабом и зеленью.

# КАПУЧИНО ИЗ СПАРЖИ

## ВАМ ПОНАДОБИТСЯ /в граммах/

Спаржа **2 шт.,** бульон от варки спаржи **30,** соль **по вкусу,** перец черный молотый **по вкусу,** сметана **20,** какао-порошок **1**

## КАК ГОТОВИТЬ

- Спаржу тщательно промыть, варить в течение 20—30 минут.
- Бульон от варки спаржи выпарить до 30 г. Посолить, поперчить.
- Сметану взбить, аккуратно перемешать с выпаренным бульоном.
- Декорировать верхушкой отварной спаржи, какао-порошком и сразу подавать в кофейной чашке.

Клод **ТРЕНКА**
и Франсуа **БЛАН** —
шеф-повара ресторана
Cafe des Artists

*Приятный нейтральный вкус капучино подготавливает гостя к дальнейшей трапезе. Можно добавить немного ликера простой настойки — это придаст блюду пикантность.*

# АХОБЛАНКО МАЛАГУЕНО

**ВАМ ПОНАДОБИТСЯ** /в граммах/

Хлеб белый черствый, без корки **250,** миндаль сырой очищенный **100,** чеснок свежий **15,** вода **1000,** уксус винный красный **40,** масло оливковое **200,** соль **по вкусу,** перец белый молотый **по вкусу**

**Декор:** виноград **10,** яблоко **5,** дыня **15,** креветки маленькие (отварные) **3 шт.,** миндаль жареный рубленый **20**

## КАК ГОТОВИТЬ

- Замочить хлеб, чтобы он хорошо размяк. Хлеб, миндаль и чеснок пробить в блендере до однородной массы, затем тонкой струйкой ввести воду, уксус, оливковое масло, соль и перец. Пробить все ингредиенты до кремообразного состояния.

- Сервировать в прозрачном стакане. В качестве декора можно подать виноград, тонко порезанное яблоко, кусочки дыни, маленьких креветок и в отдельном стаканчике рубленый жареный миндаль.

Руслан АРИФУЛОВ — шеф-повар ресторана «Presnja кафе»

# САЛЬМОРЕХО ПО-СЕВИЛЬСКИ

## ВАМ ПОНАДОБИТСЯ /в граммах/

Хлеб белый черствый, без корок **50**, помидоры **450**, чеснок свежий **10**, уксус бальзамический **20**, соль морская **по вкусу**, перец черный молотый **по вкусу**

**Декор:** ветчина **5**, яйцо рубленое **5**, базилик **3**, гренки **10**

## КАК ГОТОВИТЬ

- Замочить хлеб, чтобы он хорошо размяк. Пробить все ингредиенты в блендере на средней скорости до однородной массы.
- Сервировать в прозрачном стакане. Можно подавать с ветчиной, рублеными яйцами, базиликом и гренками.

*Шеф-повар*
**Руслан АРИФУЛОВ**

# СУП-ПЮРЕ ИЗ СЕЛЬДЕРЕЯ

**Наталья КОРНЕИЧЕВА**
работала шеф-поваром
ресторана «Джон Булл Паб»

## ВАМ ПОНАДОБИТСЯ /в граммах/

Суп-пюре из сельдерея **200,** зелень (сельдерей) **2,** перец сладкий красный **3,** чесночные гренки **10**

**Суп-пюре из сельдерея:** вода **700,** бульон куриный (сухой) **10,** корень сельдерея **400,** сливки 38% **250**

**Чесночные гренки:** батон нарезной **20,** масло растительное **20,** порошок чесночный **1**

## КАК ГОТОВИТЬ

- В супницу налить суп-пюре из сельдерея.
- Декорировать листиком свежей зелени и красным сладким перцем, нарезанным соломкой.
- Подавать с чесночными гренками.

### Суп-пюре из сельдерея

- В воде развести сухой куриный бульон, добавить очищенный и нарезанный мелкими кубиками корень сельдерея и варить до полного размягчения.
- Охладить до комнатной температуры и измельчить в блендере до пюреобразной массы.
- Влить сливки и проварить до готовности.

### Чесночные гренки

- Батон белого хлеба очистить от корок, нарезать кубиками и обжарить на растительном масле до золотистого цвета.
- Посыпать чесночным порошком.

# СУП ТОМАТНЫЙ

*Шеф-повар*
**Наталья КОРНЕИЧЕВА**

## ВАМ ПОНАДОБИТСЯ /в граммах/

Суп томатный **240,** чесночные гренки **10,** петрушка **1,** помидор (декор) **30**

**Суп томатный:** сок томатный **700,** мука пшеничная в/с **30,** бульон куриный **10,** сливки 38% **300**

**Чесночные гренки:** батон нарезной **20,** масло растительное **20,** порошок чесночный **1**

## КАК ГОТОВИТЬ

- В супницу налить томатный суп.
- Положить чесночные гренки, украсить веточкой петрушки и розочкой из помидора.

### Суп томатный
- Сок томатный смешать с мукой и взбить до однородной массы.

- Добавить куриный бульон, сливки и варить до готовности.

### Чесночные гренки
- Батон белого хлеба очистить от корок, нарезать кубиками и обжарить на растительном масле до золотистого цвета.
- Обсушить и посыпать чесночным порошком.

# ЗЕЛЕНЫЙ ГАСПАЧО ИЗ МОЛОДОГО ЩАВЕЛЯ И ШПИНАТА С ТАРТАРОМ ИЗ ПОМИДОРОВ

*Шеф-повар*
**Денис СИДОРКИН**

*Готовится суп в гастрономической чашке для блен-
дера. Для этого супа следует отбирать молодые
побеги шпината и щавеля. Подавать лучше с чесночными тостами и полусухим белым вином.*

## ВАМ ПОНАДОБИТСЯ /в граммах/

Огурцы **80,** шпинат **30,** щавель **20,** вода **130,** соль **2,** перец черный молотый **0,5,**
помидоры **60,** базилик **2,** соус «Табаско» **0,5**

## КАК ГОТОВИТЬ

- Огурцы очистить от кожицы и семян, нарезать дольками.
- Очищенные листья шпината и щавеля
залить водой, добавить огурцы, соль, перец
молотый и измельчить блендером до однородной консистенции.
- Сделать тартар: помидоры очистить
от кожицы и семян, нарезать кубиками
и смешать с рубленым базиликом и соусом
«Табаско».
- Готовый суп налить в тарелку.
- В середину выложить тартар из помидоров
и базилика.

# КАРТОФЕЛЬНЫЙ СУП-ПЮРЕ С ХРУСТЯЩИМ БЕКОНОМ И МОЛОДЫМИ СМОРЧКАМИ

*Шеф-повар*
**Денис СИДОРКИН**

*Подавать лучше в супнице или красивой кастрюле. Протирать картофель для супа рекомендуется только с помощью протирочной машины. Ни в коем случае не использовать блендер для измельчения картофеля, иначе проявится вкус клейковины. Суп прекрасно сочетается с вином «Сент-Обан Премьер Крю», «Гевюрцтраминер». Подавать горячим можно в любое время года.*

## ВАМ ПОНАДОБИТСЯ /в граммах/

Чеснок **5**, лук репчатый **10**, масло растительное **10**, картофель **80**, бульон куриный **220**, сливки 38% **60**, соль **2**, перец черный молотый **0,5**, сморчки **30**, бекон **5**, петрушка **1**

## КАК ГОТОВИТЬ

- Чеснок измельчить в пюре, лук репчатый мелко порубить и все обжарить на растительном масле (5 г).
- Картофель очистить, произвольно нарезать, заложить в куриный бульон, добавить жареный лук с чесноком, отварить до готовности.
- Бульон процедить, картофель протереть с помощью протирочной машины.
- Протертый картофель вновь заложить в бульон, добавить сливки, соль, перец.
- Сморчки отварить, нарезать соломкой.
- Бекон нарезать соломкой и обжарить вместе со сморчками до золотистого цвета (5 г).
- При подаче готовый суп налить в тарелку, в середину выложить жареные сморчки с беконом, украсить листиками петрушки.

# СУП ИЗ ШПИНАТА С ПАРМЕЗАНОМ

**Ияд АБУШАРАФ** —
шеф-повар ресторана «Прага-АСТ» (Россия), призер
международных выставок в Дубаи, в недавнем прошлом —
шеф-повар ресторанов Regency palace (Кувейт), Le Mridien
и Sheraton (Дамаск), Metropoliten (Дубаи), личный
шеф-повар принца Кувейта. Возглавляет работу
банкетного зала «Сафиса»

## ВАМ ПОНАДОБИТСЯ /в граммах/

Лук репчатый **50**, масло сливочное **50**, шпинат свежий **400**, соль **по вкусу**, перец **по вкусу**, бульон куриный или мясной **1000**, сливки 33% **250**, помидоры черри **6 шт.**, сыр пармезан **100**, базилик (листики) **6 шт.**

## КАК ГОТОВИТЬ

- Мелко нарезанный лук обжарить на сливочном масле.
- Добавить рубленый шпинат, соль, перец, бульон и варить 2—3 минуты.
- Взбить в блендере с добавлением сливок.
- Довести до кипения.
- При подаче украсить помидорами черри, сыром пармезан и базиликом.

# ОВОЩНОЙ СУП С ПЕРЕПЕЛИНЫМ ЯЙЦОМ

**Марина ВЕНИКОВА** — шеф-повар одной из гостиниц сети «Холидей Инн» (Россия). Член Национальной гильдии шеф-поваров. Стажировалась в Финляндии в гостинице «Интерконтиненталь», неоднократно проходила обучение во Франции. Проводила дни русской кухни в Каннах и Ханое. Работала шеф-поваром пятизвездочной гостиницы «Золотое кольцо»

## ВАМ ПОНАДОБИТСЯ /в граммах/

Лук репчатый **5,** сельдерей (стебель) **30,** чеснок **1,** масло оливковое **10,** грибы белые отварные **20,** шампиньоны отварные **20,** бульон овощной **100,** бульон грибной **100,** помидоры конкасе **30,** яйцо перепелиное **3 шт.,** петрушка **1**

## КАК ГОТОВИТЬ

- Лук нарезать мелкими кубиками, сельдерей — тонкими ломтиками и обжарить с чесноком на оливковом масле.
- Нарезать отварные грибы (белые и шампиньоны), добавить овощной и грибной бульоны, помидоры конкасе, нарезанные кубиками.
- При подаче добавить отварные перепелиные яйца и декорировать петрушкой.

# КРЕМ-СУП ИЗ ТЫКВЫ

*Шеф-повар*
**Елена ЛЯМИНА**

## ВАМ ПОНАДОБИТСЯ /в граммах/

Тыква **110**, соль **по вкусу**, перец черный молотый **по вкусу**, масло растительное **20**, лук репчатый **110**, бульон куриный **30**, сливки 33% **60**, семечки тыквенные **10**, салат латук **10**

## КАК ГОТОВИТЬ

• Тыкву очистить, нарезать на небольшие куски, посолить, поперчить, полить растительным маслом (10 г) и выложить в емкость для запекания. Запекать в духовке. Репчатый лук нарезать и обжарить на растительном масле (10 г) до золотистого цвета. Тыкву и лук соединить и пробить в блендере до консистенции пюре. В пюре добавить куриный бульон и сливки, довести до кипения. Налить суп в тарелку, в центр положить обжаренные тыквенные семечки и листья салата латук.

# СУП-ВЕЛЮТЕ ИЗ ТЫКВЫ С МОРСКИМ ГРЕБЕШКОМ

## ВАМ ПОНАДОБИТСЯ /в граммах/

Морской гребешок **30,** суп-велюте **200,** икра черная **5,** лук-сибулет **2,** молоко **10**

**Суп-велюте:** тыква **650,** анис **10,** бульон рыбный **450,** масло оливковое **50,** соль **5**

## КАК ГОТОВИТЬ

- Морского гребешка обжарить без добавления масла.
- Довести до готовности в ростере.
- В тарелку налить холодный суп.
- Положить обжаренного морского гребешка.
- Украсить черной икрой, луком-сибулетом и взбитой молочной пенкой.

### Суп-велюте
- Тыкву очистить от кожи и семян, произвольно нарезать и запечь вместе с анисом.
- Измельчить в блендере с бульоном и оливковым маслом.
- Процедить и посолить.

*Шеф-повар*
**Евгений СЕЛЕЗНЕВ**

# ТЫКВЕННЫЙ СУП С ЛАПШОЙ

*Шеф-повар*
**Ияд АБУШАРАФ**

## ВАМ ПОНАДОБИТСЯ /в граммах/

Масло сливочное **40**, лук репчатый **1 шт./150**, вино белое сухое **100**, тыква (очищенная и нарезанная кубиками) **600**, морковь **1 шт./120**, бульон куриный **500**, сливки 33% **200**, соль **по вкусу**, перец черный молотый **по вкусу**, лапша **100**, лук зеленый **20**, тыква (верхушка) **100**

## КАК ГОТОВИТЬ

- В кастрюле растопить сливочное масло.
- Обжарить на нем до золотистого цвета мелко нарезанный репчатый лук.
- Влить вино, добавить тыкву, морковь, куриный бульон, довести до кипения и варить до готовности.
- Взбить в блендере и вновь довести до кипения.

- Постоянно помешивая, влить сливки, посолить, поперчить.
- Отварить лапшу в подсоленной воде и разложить по тарелкам.
- Залить супом.
- Украсить зеленым луком и верхушкой тыквы.

# СУП ИЗ КУКУРУЗЫ

## ВАМ ПОНАДОБИТСЯ /в граммах/

Бульон куриный или мясной **1000,** кукуруза консервированная **400,** яйцо **2 шт.,** соль **по вкусу,** перец **по вкусу,** крахмал кукурузный **50,** вода холодная **50,** базилик (листики) **6 шт.,** кукуруза консервированная **5,** мини-кукуруза **6 шт.**

## КАК ГОТОВИТЬ

- В кипящий бульон положить кукурузу и варить 5 минут.
- Добавить яйца, соль, перец и варить еще 3—5 минут.
- Все взбить в блендере и довести до кипения.
- Заварить крахмалом, разведенным в холодной воде, и снова вскипятить.
- Декорировать листиком базилика, консервированной кукурузой и мини-кукурузой.

*Шеф-повар*
**Ияд АБУШАРАФ**

# СУП ПО-ДОМАШНЕМУ

*Шеф-повар*
**Денис ПЕРЕВОЗ**

## ВАМ ПОНАДОБИТСЯ /в граммах/

Курица домашняя суповая **200**, морковь **30**, картофель **30**, лук репчатый **10**, перец болгарский **30**, цуккини **30**, масло растительное **20**, соль **3**, лук зеленый **5**

## КАК ГОТОВИТЬ

- В горячую воду положить курицу и варить на медленном огне 2—2,5 часа.
- Морковь, картофель, лук, болгарский перец, цуккини промыть, почистить и нарезать мелкими кубиками.
- Подготовленные овощи обжарить на сковороде на растительном масле.

- Овощи посолить и откинуть на дуршлаг, чтобы стекло лишнее масло.
- Предварительно приготовленный куриный бульон процедить, отмерить 180 г и заправить подготовленными овощами.
- Декорировать зеленым луком.
- Подавать в горячем виде.

# ЧЕЧЕВИЦА С ТМИНОМ, ЧЕСНОКОМ И ПОМИДОРАМИ

**Сурендер МОХАН —** шеф-повар отеля Leela Kempinski

*Очень популярное в Индии блюдо на каждый день. Вкусное и полезное. Прекрасно сочетается с рисом и хлебом, который макают прямо в суп. При этом абсолютно неважно, какую чечевицу использовать: желтую, зеленую, красную, черную или коричневую.*

## ВАМ ПОНАДОБИТСЯ /в граммах/

Чечевица черная **500**, чечевица желтая **500**, соль **по вкусу**, масло растительное **60**, масло сливочное **380**, паста имбирно-чесночная **200**, перец чили красный молотый **20**, тмин **5**, пюре томатное **850**, смесь специй Garam masala **по вкусу**, шамбала **10**, сливки **300**

## КАК ГОТОВИТЬ

- Хорошо промытую чечевицу сварить до мягкости, добавить соль и растительное масло (20 г).
- Сливочное масло разогреть в кастрюле, влить растительное (40 г) и довести до кипения. Добавить имбирно-чесночную пасту, перец чили красный молотый, тмин, томатное пюре и прожарить.
- Сваренную чечевицу поместить в томатную массу, в последнюю очередь добавить Garam masala, шамбалу и сливки. Кипятить до однородной консистенции.

# СИЦИЛИЙСКИЙ СУП ИЗ БАКЛАЖАНОВ

*Шеф-повар*
**Денис ПЕРЕВОЗ**

## ВАМ ПОНАДОБИТСЯ /в граммах/

Курица или индейка **250**, спагетти **15**, масло оливковое **10**, баклажаны **60**, морковь **30**, тимьян сухой **0,1**, орегано сухой **0,1**, сыр пармезан **5**, соль **2**, перец черный молотый **0,1**

## КАК ГОТОВИТЬ

- Из курицы (или индейки) отварить бульон (100—200 г).
- Положить в бульон спагетти и варить до готовности.
- Пока варятся спагетти, на сковороде на оливковом масле обжарить баклажаны, морковь и выложить их в бульон со спагетти.
- Приправить сухими травами, ломтиками пармезана, солью, перцем.
- Подавать в горячем виде.

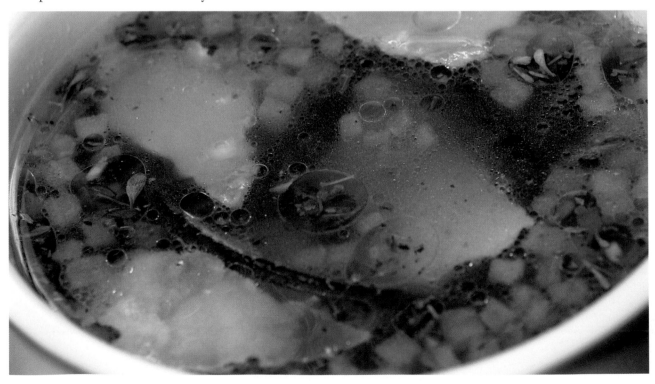

# УНИВЕРСАЛЬНЫЙ ГАРНИР

*Шеф-повар*
**Андреа ГАЛЛИ**

## ВАМ ПОНАДОБИТСЯ /в граммах/

Фенхель **120**, масло сливочное **10**, масло оливковое **5**, перец сладкий **20**, апельсин кумкват **40**, инжир свежий **60**, соль **2**, перец черный молотый **2**, имбирь маринованный **40,** розмарин свежий **2**, лук-сибулет **2**, соус **3**

**Соус:** уксус бальзамический **1000,** сахар **200**

## КАК ГОТОВИТЬ

Фенхель разрезать вдоль, бланшировать. Обжарить на сильном огне до золотистого цвета на смеси сливочного и оливкового масла. Положить перец, кумкват, разрезанный вдоль, инжир, разрезанный на четверти, и продолжать обжаривать еще 10—15 секунд. Посолить, поперчить. На тарелку выложить маринованный имбирь, сверху — фенхель, инжир, перец и апельсин. Украсить розмарином и луком-сибулетом. Приправить овощи соусом.

### Соус

Помешивая, выпарить на сильном огне бальзамический уксус с добавлением сахара или меда. Довести до консистенции сиропа.

# ОВОЩНОЙ БУКЕТ

**Сергей ЕРОШЕНКО —** шеф-повар развлекательного комплекса «Волен», участник Национального отборочного тура международного конкурса поваров высокой кухни «Золотой Бокюз», победитель в номинации «Золотая сковорода»

*Это блюдо может выступать и в роли гарнира, и самостоятельно. Я часто рекомендую его гостям в период поста, поскольку оно целиком состоит из молодых овощей. Этот превосходный весенний букет очень эффектно смотрится на тарелке. Главное, во время тепловой обработки соблюсти правильный температурный режим. Тогда овощи, дойдя до готовности, прекрасно сохранят свой внешний вид.*

## ВАМ ПОНАДОБИТСЯ /в граммах/

Мини-патиссоны **100**, перец сладкий **100**, мини-морковь **100**, мини-цуккини **100**, соль **2**, перец черный молотый **2**, масло оливковое **20**, пюре картофельное **30**, цветок для декора (съедобный) **1 шт.**, тимьян свежий (веточка) **2**, уксус бальзамический **5**, перец белый молотый **по вкусу**

## КАК ГОТОВИТЬ

**1, 2, 3.** Почистить и порезать мини-патиссоны, сладкий перец, мини-морковь и мини-цуккини.

**4.** Обжарить подготовленные овощи на решетке-гриль.

**5, 6.** Посолить, поперчить, полить оливковым маслом, перемешать.

**7.** Уложить на противень, поставить в духовку и готовить 30—40 минут при температуре 80°С.

На тарелку с помощью кондитерского мешка выложить картофельное пюре. Вокруг и на него поместить запеченные овощи.

**8.** Украсить блюдо цветком и веточкой свежего тимьяна. Полить бальзамическим уксусом и посыпать свежемолотым белым перцем.

# ЗАПЕКАНКА ИЗ ОВОЩЕЙ С ГОРЧИЧНЫМ СОУСОМ ПО-ДЕРЕВЕНСКИ И ЗАПЕЧЕННОЙ РИКОТТОЙ

**Лука ВЕРДОЛИНИ —**
шеф-повар ресторана
Pinocchio (Россия)

*Такая овощная запеканка может служить замечательным гарниром и для мяса, и для рыбы. Причем она настолько самодостаточна по вкусу, что подавать ее можно и как отдельное блюдо. В нашем случае я рекомендую попробовать ее с запеченной рикоттой.*

## ВАМ ПОНАДОБИТСЯ /в граммах/

**Запеканка из овощей:** морковь **80**, цуккини **100**, баклажан **100**, масло оливковое **15**, перец красный сладкий **100**, перец желтый сладкий **100**, чеснок **2**, петрушка **1**, соль **по вкусу**, сахар **1**, уксус рисовый **2**, лук красный **100**, бульон овощной **10**, цикорий **80**, розмарин **3**, чеснок **1**, перец белый молотый **по вкусу**, вино сухое белое **5**, сухари панировочные **100**, петрушка (для панировки) **5**, чеснок (для панировки) **3**, пармезан тертый **70**, помидоры черри запеченные **120**

**Соус горчичный по-деревенски:** сахар **1**, лук-шалот **5**, уксус рисовый **2**, вино сухое белое **10**, бульон овощной **10**, зерна горчицы **40**, соль **по вкусу**, перец белый молотый **по вкусу**

**Рикотта запеченная:** рикотта из коровьего молока **1500**, сахар тростниковый/соль **20/20**, тимьян свежий **5**, перец белый молотый/чеснок **5/5**, цедра апельсина и лимона **10**

**Сервировка:** запеканка из овощей **160**, рикотта запеченная **80**, соус горчичный по-деревенски **70**, базилик зеленый **1 листик**, помидор черри запеченный **1 шт.**, горчица дижонская **20**

## КАК ГОТОВИТЬ

### Запеканка из овощей

Приготовить овощи для запеканки:
— морковь нарезать тонкими ломтиками, бланшировать в подсоленной кипящей воде, остудить;
— цуккини, баклажаны нарезать тонкими ломтиками и обжарить на оливковом масле (10 г);

— красный и желтый сладкий перец обжарить на гриле и запекать 5 минут в духовке при температуре 145°C; снять кожицу, сбрызнуть оливковым маслом (5 г), приправить чесноком, петрушкой и посолить;
— растопить сахар и довести его до состояния карамели, влить рисовый уксус

и положить мелко нарезанный красный лук; влить овощной бульон и потушить несколько минут;

— нарезать цикорий, приправить розмарином, чесноком, солью, белым молотым перцем, сбрызнуть белым сухим вином и поставить в духовку на несколько минут при температуре 145°C.

Сделать панировку из петрушки: измельчить в миксере панировочные сухари, петрушку, чеснок.

**1.** Емкость для паштета выложить изнутри бумагой для запекания.

**2.** Уложить на дно и бока посуды слой из ломтиков моркови.

**3.** Уложить слой из красного лука (1/2 часть) с цикорием.

**4, 5.** Посыпать панировкой из петрушки и тертым пармезаном.

**6.** Положить запеченные помидоры черри.

**7, 8, 9.** Накрыть ломтиками баклажанов, цуккини и сладкого перца. Посыпать панировкой из петрушки и тертым пармезаном.

**10.** Продолжать так чередовать слои овощей с панировкой из петрушки и пармезаном, периодически уплотняя овощи, пока форма не заполнится до краев.

**11.** В конце уложить красный лук (1/2 часть), посыпать тертым пармезаном, прикрыть ломтиками моркови.

**12, 13.** Закрыть форму листом бумаги для запекания и запекать в духовке около 15 минут при температуре 160°C. Когда запеканка будет готова, еще раз хорошо уплотнить овощи и остудить.

**14.** Вынуть из формы и нарезать как рулет.

## Соус горчичный по-деревенски

Растопить сахар и довести его до состояния карамели, добавить мелко нарезанный лук-шалот.

Влить рисовый уксус, вино, овощной бульон, добавить зерна горчицы и потушить.

Измельчить все в миксере до кремообразного состояния. Посолить и поперчить.

## Рикотта запеченная

Рикотту мариновать 24 часа с добавлением тростникового сахара, соли, свежего тимьяна, белого молотого перца, чеснока и цедры апельсина и лимона.

Запекать рикотту сначала 2 часа при температуре 110°C, а затем еще 20 минут при температуре 140°C. Остудить.

## Сервировка

В центр блюда аккуратно положить теплую, порционно нарезанную запеканку и кусочек запеченной рикотты.

Вокруг полить горчичным соусом по-деревенски, украсить листиком зеленого базилика, запеченным помидором черри и ложечкой дижонской горчицы.

# ШТРУДЕЛЬ ИЗ КАПУСТЫ С ЯБЛОКОМ

*Шеф-повар*
**Сергей ЕРОШЕНКО**

*Штрудель — замечательный гарнир к любому блюду. Само слово имеет австрийское происхождение и переводится как десерт. У нас больше распространены яблочные штрудели, которые именно как десерт и подаются. Однако во многих странах в качестве начинок помимо сладких ингредиентов берут грибы, капусту, мясо и рыбу. Тесто классически используется бездрожжевое слоеное. Я предлагаю попробовать капустный штрудель в тонком и нежном тесте фило. Этот гарнир хорошо подойдет к свинине или к утке. Также его можно подавать и как самостоятельное блюдо.*

## ВАМ ПОНАДОБИТСЯ /в граммах/

Яблоко зеленое **50**, яйцо (желток) **1 шт.**, крахмал **5**, капуста белокочанная **100**, масло оливковое **20**, тесто фило **2 листа**, тимьян свежий (веточка) **1 шт.**, уксус бальзамический **5**, перец черный молотый **по вкусу**

## КАК ГОТОВИТЬ

**1.** Яблоко очистить и нарезать кубиками.

**2.** Яичный желток смешать с крахмалом.

**3.** Белокочанную капусту нашинковать, потушить с добавлением оливкового масла. Смешать с нарезанным яблоком.

**4.** На тесто выложить тушеную капусту, смешанную с яблоком.

**5, 6.** Свернуть в виде рулета, смазать смесью желтка и крахмала.

**7.** Запекать в духовке 10 минут при температуре 200°С.

**8.** Готовый штрудель нарезать порционно, выложить на тарелку. Украсить веточкой тимьяна, бальзамическим уксусом, черным молотым перцем.

# РИСОВАЯ ЛАЗАНЬЯ С БАКЛАЖАНОМ И СЫРОМ ПАРМЕЗАН

*Шеф-повар*
**Сергей ЕРОШЕНКО**

*Лазанья — классическое итальянское блюдо. Я разнообразил ее, изменив ингредиенты. Вместо теста использую обжаренные на гриле тонкие ломтики баклажанов, вместо начинки — рис, зелень и сметану. Результат получается замечательный. Рисовая лазанья вкусна сама по себе, но я также рекомендую ее подавать в качестве оригинального гарнира к мясным блюдам.*

## ВАМ ПОНАДОБИТСЯ /в граммах/

Баклажан **50**, соль **по вкусу**, перец черный молотый **по вкусу**, масло оливковое **20**, пармезан **30**, рис отварной **100**, кинза **20**, сметана **30**, орех грецкий (дробленый) **20**

**Сервировка:** рисовая лазанья с баклажаном и сыром пармезан **220**, помидоры **100**, уксус бальзамический **5**, цветок (съедобный) **1 шт.**

## КАК ГОТОВИТЬ

**1, 2, 3.** Баклажаны нарезать на слайсере тонкими ломтиками, посолить, поперчить, обжарить на гриле.

**4.** Противень смазать оливковым маслом, выложить баклажаны (25 г), посыпать тертым пармезаном (10 г).

**5.** Сверху выложить слой отварного риса (50 г).

**6.** Посыпать мелкорубленой кинзой (10 г), смазать сметаной (15 г).

**7.** Накрыть слоем баклажанов (25 г), проложить второй слой пармезана (10 г), риса (50 г), кинзы (10 г) и сметаны (15 г).

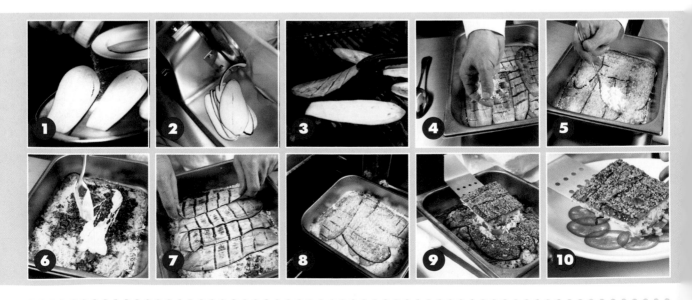

**8.** Посыпать сыром (10 г), дроблеными грецкими орехами и запекать в духовке 20 минут при температуре 160°С. Вынуть из духовки, дать постоять.

**Сервировка**

**9, 10.** Готовую лазанью нарезать порционно и поместить на карпаччо из помидоров, выложенное на тарелке. Украсить бальзамическим уксусом и декоративным цветком.

# ОВОЩНОЕ АССОРТИ И ЖАРЕНЫЕ ГРИБЫ СО ШПИНАТОМ С СОУСОМ ИЗ ЗЕЛЕНОГО ГОРОШКА С ЭСТРАГОНОМ

*Шеф-повар*
**Эрик Ле ПРОВО**

## ВАМ ПОНАДОБИТСЯ /в граммах/

Замороженная овощная смесь «Царская» (цветная капуста, брокколи, морковь) **100,** шпинат замороженный **40,** масло оливковое **15,** лук-шалот **10,** чеснок **4,** сахар **5,** соль **3,** перец белый свежемолотый **3,** шампиньоны замороженные **50,** эстрагон **1,** имбирь **1,** орех мускатный **0,1,** тимьян **2,** орешки кедровые **5,** соус из зеленого горошка **30**

**Соус из зеленого горошка:** зеленый горошек замороженный **20,** масло оливковое **5,** вода **15,** сахар **1,** соль **1,** перец белый свежемолотый **1,** имбирь свежий **2**

## КАК ГОТОВИТЬ

• Разморозить овощную смесь и шпинат в холодильнике в течение 2 часов, чтобы они не потеряли воду и сохранили витамины. Разогреть оливковое масло (5 г) на сковороде, добавить овощную смесь, готовить 15 секунд на среднем огне до легкого колерования, всыпать мелконарезанный лук-шалот (5 г), потом рубленый чеснок (2 г), перемешать. Добавить сахар, соль (1 г) и перец (1 г).

• На другой сковороде быстро обжарить на оливковом масле (5 г) неразмороженные шампиньоны. Добавить лук-шалот (5 г), соль (1 г), перец (1 г), эстрагон и имбирь. Отдельно быстро обжарить на оливковом масле (5 г) рубленый чеснок (2 г) до придания золотистого цвета, добавить размороженный шпинат, тертый мускатный орех, соль (1 г), перец (1 г).

• Выложить на тарелку слой шпината, сверху — овощную смесь, посыпать ее тимьяном. Выложить поверх шампиньоны, посыпать кедровыми орешками. Украсить тарелку соусом из зеленого горошка.

### Соус из зеленого горошка

• Положить размороженный зеленый горошек в сотейник с оливковым маслом. Налить воды, добавить сахар, соль, перец и измельченный свежий имбирь. Накрыть крышкой и готовить 10 минут. Снять с огня, измельчить блендером до консистенции густой сметаны.

# ОВОЩНОЙ ГРАТЕН

*Шеф-повар*
**Александр МАРЧЕНКО**

*Овощной гратен интересен тем, что его можно подавать и в качестве гарнира, и в качестве самостоятельного блюда. Основной вкусовой момент здесь определяет запеченный на гриле болгарский перец. Именно он придает гратену приятную пикантную горчинку, привнося в блюдо новый, оригинальный оттенок.*

## ВАМ ПОНАДОБИТСЯ /в граммах/

Тесто слоеное **1000**, шпинат **1000**, масло оливковое **50**, чеснок **10**, соль **по вкусу**, перец черный молотый **по вкусу**, сыр рикотта **250**, перец-гриль (красный и желтый) **600**, орешки кедровые **10**, уксус бальзамический **5**, масло оливковое **10**, кресс-салат **5**, помидоры вяленые **5**, перец халапеньо (маринованный) **15**

## КАК ГОТОВИТЬ

Тесто раскатать и проткнуть зубочисткой. Нарезать на полоски шириной 5 см и запекать в духовке с конвекцией в течение 15—20 минут при 190°C.

Шпинат обжарить на оливковом масле с добавлением чеснока, соли и черного молотого перца.

**1.** На запеченные полоски теста выложить сыр рикотта (125 г).

**2, 3.** Сверху — нарезанный вдоль красный и желтый перец-гриль.

**4.** На него — подготовленный шпинат и кедровые орешки.

**5.** Сверху — еще один слой сыра рикотта (125 г).

Полученный гратен накрыть вторым слоем выпеченного слоеного теста, поместить в холодильник под груз на 1 час.

**6.** Перед подачей нарезать порционно, выложить на тарелку, декорированную бальзамическим уксусом, оливковым маслом, листиками кресс-салата, вялеными помидорами и кружочками маринованного перца халапеньо.

# ОВОЩНОЕ РАГУ ПО-ТАЙСКИ

**Суванта ПРАНИТ —**
шеф-повар отеля Baiyoke Sky
Hotel (Бангкок, Таиланд)

*Идея смешивания вкусов основана на китайской и индийской кулинарных традициях. Тайскую кухню от китайской отличает возможность выбора ингредиентов. Это же делает ее более индивидуальной, а оригинальность приготовления напрямую зависит от количества приправ, мастерства и фантазии повара.*

## ВАМ ПОНАДОБИТСЯ /в граммах/

Баклажан **1 шт./225**, фасоль (стручки) **115**, капуста цветная **85**, молоко кокосовое **2 стакана/500**, лук-шалот красный, мелко нарезанный **2 шт.**, чеснок (мелко нарубленные зубчики) **2 шт.**, корень кориандра, мелко нарезанный **4 шт.**, перец чили сухой, очищенный от семян и мелко нарубленный **2 шт.**, сорго лимонное, мелко нарубленное **1 побег**, корень галангала, мелко нарубленный **1 шт. (3 см)**, лиметта каффирская (цедра натертая) **1 шт.**, сливки кокосовые **4 ст. л.**, арахис жареный молотый **1,5 ст. л.**, вода тамариндовая **3 ст. л.**, соус рыбный **1 ст. л.**, сахар колотый пальмовый **2 ч. л.**

## КАК ГОТОВИТЬ

• Баклажан нарезать на кубики (4×4 см).

• Стручки фасоли — кусочками по 5 см.

• Положить баклажан, фасоль и цветную капусту в кастрюлю, добавить кокосовое молоко и довести до кипения. Накрыть кастрюлю крышкой и тушить овощи на медленном огне 10 минут до размягчения.

• Снять кастрюлю с огня, открыть крышку и отставить в сторону.

• При помощи ступки и пестика (или маленькой мельницы) растолочь (или смолоть) красный лук-шалот, зубчики чеснока, корень кориандра, перец чили, лимонное сорго, корень галангала и цедру каффирской лиметты.

• Смешать полученную пряную пасту с четырьмя столовыми ложками жидкости из овощей. Переложить смесь в маленькую сковороду с толстым дном, размешать в ней кокосовые сливки и нагреть, помешивая, пока масло не отделится и вся смесь не загустеет.

• Влить смесь в овощи вместе с жареным молотым арахисом, тамариндовой водой, рыбным соусом и колотым пальмовым сахаром.

• Прогревать полученную массу в течение примерно 1 минуты. Выложить на тарелку.

# КУСКУС С КУРИЦЕЙ И АССОРТИ ИЗ ОВОЩЕЙ

**Рашид МАФТУ —** шеф-повар ресторана Naoura Barrie're Hootel&Ryad

## ВАМ ПОНАДОБИТСЯ /в граммах/

Курица **150**, лук репчатый **20**, помидоры **40**, масло сливочное соленое **10**, перец болгарский **40**, баклажаны **40**, морковь **30**, шафран **1**, имбирь **1**, соль **1**, перец черный молотый **1**, вода **2000**, горох нут **20**, кускус **100**

## КАК ГОТОВИТЬ

- Курицу обработать, разделить на четыре части.
- Репчатый лук и помидоры нарезать произвольно.
- В нижней части кускусницы на медленном огне разогреть соленое сливочное масло, добавить подготовленные помидоры, репчатый лук, нарезанный крупно болгарский перец, баклажаны, морковь, курицу, шафран, имбирь, соль и перец.
- Оставить томиться на медленном огне 10 минут.
- Добавить воду и горох нут. Готовить на среднем огне в течение 10 минут.
- Просеять кускус, приготовить традиционным способом. В конце добавить сливочное масло (1 ст. л.).
- Выложить кускус горкой на тарелку, сверху положить курицу и украсить тушеными овощами.

# ОМЛЕТ С ОВОЩАМИ

**Сергей СВИРИДОВ —** участник отборочного тура на Международном конкурсе Bocuse D'or

## ВАМ ПОНАДОБИТСЯ /в граммах/

Яйцо **120**, молоко 3,2% **40**, соль **1**, масло оливковое **20**, цуккини **25**, перец болгарский **25**, баклажан **25**, помидоры черри **25**, базилик **1**, лук-сибулет **1**

## КАК ГОТОВИТЬ

- Яйца взбить венчиком и, продолжая взбивать, добавить молоко и соль.
- Смесь вылить на сковороду, обжарить на оливковом масле (10 г) и довести до готовности в духовке с конвекцией.
- Овощи нарезать соломкой и обжарить на оливковом масле (10 г).
- Фаршировать омлет овощами и украсить зеленью (базиликом, луком-сибулетом).

# ТОМАТНЫЙ ПЛОВ

*Шеф-повар*
**Сурендер МОХАН**

*Басмати — самый популярный рис в Индии. Он обладает особым природным ароматом и прекрасно сочетается с помидорами.*

## ВАМ ПОНАДОБИТСЯ /в граммах/

Рис басмати **60,** масло топленое **200,** лист лавровый **3 шт.,** гвоздика **4 шт.,** кардамон зеленый сухой **6,** корица (палочка) **1,5 шт.,** орех мускатный (специя) **2 щепотки,** смесь специй Garam masala **по вкусу,** тмин (семена) **20,** лук репчатый **200,** соль **по вкусу,** куркума **2 щепотки,** кориандр сухой молотый **7,** паста имбирно-чесночная **50,** перец чили красный молотый **8,** морковь **160,** фасоль стручковая **200,** горох зеленый **100,** капуста цветная **125,** картофель **90,** помидоры **200,** имбирь (корень) **20,** йогурт **150,** кардамон молотый **2,** кориандр свежий **15,** перец чили зеленый свежий **20,** сок лимона **из 1/2 шт.,** шафран **2 щепотки**

## КАК ГОТОВИТЬ

- Рис басмати промыть и замочить на полчаса.
- Разогреть топленое масло в кастрюле, положить в него лавровый лист, гвоздику, зеленый кардамон, корицу, мускатный орех, Garam masala и семена тмина, потомить несколько минут.
- Добавить нарезанный лук и поджарить до золотистого цвета. Затем посолить, положить куркуму, сухой молотый кориандр, имбирно-чесночную пасту, молотый красный перец чили и все хорошо перемешать.

- Подготовленные и нарезанные кубиками овощи и корень имбиря добавить в луковую смесь со специями, быстро перемешать, ввести йогурт и слегка потушить. Приправить кардамоном, отставить в сторону.
- Рис сварить до полуготовности. Ложку за ложкой добавить его в овощную смесь, довести до готовности. В конце заправить нарезанным свежим кориандром, зеленым перцем чили без семечек, соком лимона и шафраном.

# РАВИОЛИ С НАЧИНКОЙ ИЗ РИКОТТЫ И ЦЕДРЫ ЛИМОНА

*Шеф-повар*
**Аугусто ТОМБОЛАТО**

## ВАМ ПОНАДОБИТСЯ /в граммах/

Мука **300,** яйцо **3 шт.,** масло оливковое **15,** соль **по вкусу,** вода теплая **1/2 стакана,** рикотта **100,** яйцо (желток) **1 шт.,** цедра лимона тертая **1/2 лимона,** пармезан (крошка) **300,** перец черный молотый **по вкусу,** соус из помидоров и базилика **50**

**Соус из помидоров и базилика:** чеснок **1 зубчик,** масло оливковое Extra Virgin **40,** помидоры **250,** базилик (листики) **6 шт.,** соль **по вкусу,** перец черный молотый **по вкусу,** сахар **по вкусу**

## КАК ГОТОВИТЬ

- Приготовить тесто:
— сформовать горку из муки с углублением в центре, куда влить яйца, оливковое масло, насыпать соль и замесить тесто при помощи вилки, добавляя при необходимости воду, до образования пластичной массы, не липнущей к рукам;
— накрыть полотенцем и оставить на 30 минут в прохладном месте.
- Приготовить начинку:
— взбить рикотту, желток и тертую цедру лимона, добавить пармезан, соль и перец.
- Раскатать тесто как можно тоньше (идеальная толщина — 1 мм).
- Смоченной в яйце или воде кисточкой промазать поверхность пласта, затем выложить при помощи шприца или ложки начинку, накрыть пластом и формой вырезать равиоли.
- Высыпать в кипящую воду, варить несколько минут до готовности.
- Можно подавать под соусом из помидоров и базилика.

### Соус из помидоров и базилика

- Выдавить чеснок в теплое оливковое масло.
- Добавить помидоры и базилик, затем соль, перец и оставить готовиться на среднем огне.
- Всыпать щепотку сахара, если соус получается слишком кислым.

# ЧИЛИЙСКИЙ СИБАС НА ОВОЩНОМ ЖУЛЬЕНЕ

*Шеф-повар*
**Лилиан ТЬЕРИОН**

## ВАМ ПОНАДОБИТСЯ /в граммах/

Филе чилийского сибаса **160**, соль **2**, помидоры конкассе **20**, цуккини **100**, морковь **100**, лук-порей **100**, фенхель **50**, тимьян **2**, розмарин **2**, лимонник (стебель) **20**, анис (семя) **2**, вино мускатное **20**, соус рыбный **20**, фисташки **3**

**Соус рыбный:** вино красное сухое **200**, сахар **30**, бульон рыбный **20**, перец **1**, соль **2**, масло сливочное **100**

## КАК ГОТОВИТЬ

Филе сибаса положить на пергамент, посолить, сверху — помидоры конкассе. Закрыть пергамент, поместить рыбу на 10 минут в духовку с конвекцией при температуре 180°C. Цуккини, морковь, лук-порей нарезать жульеном, фенхель — произвольно. Выложить овощи на разогретую сковороду, добавить тимьян, розмарин, лимонник, анис. Быстро перемешать, влить вино и выпарить. Снять с огня. Из фольги сделать чашу произвольной формы, установить в центр тарелки. Выложить в нее овощной жульен, сверху — сибаса. Добавить соус, декорировать рублеными фисташками.

### Соус рыбный

Выпарить красное сухое вино с сахаром до карамелизации. Соединить с бульоном, поперчить, посолить. Выпарить до консистенции соуса. Снять с огня, добавить сливочное масло.

# ГРЕБЕШКИ С БЛАНШИРОВАННОЙ СПАРЖЕЙ В СОУСЕ ИЗ КУРИНОГО БУЛЬОНА

**Ромэн ФОРНЕЛЛ —**
шеф-повар ресторана Caelis

## ВАМ ПОНАДОБИТСЯ /в граммах/

Гребешки **8 шт.,** масло оливковое **15,** соль **по вкусу,** перец белый молотый **по вкусу,** спаржа зеленая молодая **50,** соус из выпаренного куриного бульона **100**

## КАК ГОТОВИТЬ

- Открыть и почистить гребешков.
- Слегка поджарить их на оливковом масле (10 г).
- Посолить, поперчить.
- Спаржу очистить и бланшировать в подсоленной воде несколько минут.
- В тарелку выложить обжаренных гребешков, бланшированную спаржу и залить соусом из выпаренного куриного бульона.
- Декорировать капельками оливкового масла (5 г).
- Все перемешать.

# КАША ТЫКВЕННАЯ НА РАСТОПЛЕННОМ МАСЛЕ

**Вячеслав БРЫЛОВ —** шеф-повар ресторана гостиницы «Садовое кольцо»

*Тыквенную кашу называют традиционным русским блюдом, хотя сама тыква пришла к нам из Америки. Это универсальный овощ, поскольку из него можно приготовить много разнообразных блюд. Тыква вкусна в сыром, вареном, жареном и тушеном виде. Ее добавляют в каши, делают варенье, пюре, цукаты, запекают, жарят оладьи и лепешки.*

## ВАМ ПОНАДОБИТСЯ /в граммах/

### Каша тыквенная

Пшено **60**, вода **400**, соль **3**, сахар **45**, тыква **120**, молоко **600**, сливки 38% **10**, масло сливочное **10,**

### Сервировка

Каша тыквенная, ягоды малины **10**, ягоды черники **8**, пудра сахарная **2**, масло сливочное **35**, мед **50**

## КАК ГОТОВИТЬ

### Каша тыквенная

Пшено перебрать, тщательно промыть, залить горячей водой, добавить соль, сахар и довести до кипения.

Тыкву очистить от кожуры и семян, затем промыть холодной водой, нарезать кубиками.

Когда пшено полностью набухнет, влить горячее молоко и сливки, добавить нарезанную тыкву, перемешать и выложить в чугунок. Полить растопленным сливочным маслом.

1. Чугунок накрыть крышкой и поставить в горячую печь на 2 часа.

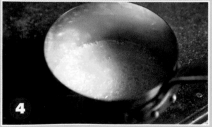

## Сервировка

**2.** Готовую тыквенную кашу выложить в сервировочную форму.

**3.** Украсить свежими ягодами малины, черники и посыпать сахарной пудрой.

**4, 5, 6.** Подавать с растопленным сливочным маслом и медом, разлитыми по пиалам, либо полить кашу сверху.

*Популярное издание*

# ОВОЩНЫЕ
# И ВЕГЕТАРИАНСКИЕ
# БЛЮДА

Генеральный директор **Дмитрий ОДИНЦОВ**
Дизайн **Наталья КОЖИНОВА**
Верстка **Владимир ИШМАКОВ**
Фотограф **Юрий ЛУКИН**

Рецепты публикуются на некоммерческой основе.

Подписано в печать 13.05.11. Формат 84x108 $^{1}/_{16}$.
Усл. печ. л. 20,16. Тираж 5000 экз. Заказ №7357.

Общероссийский классификатор продукции ОК-005-93, том 2;
953004 — научная и производственная литература

ООО «Издательство Астрель»
129085, г. Москва, пр-д Ольминского, д. 3а

ООО «Издательство АСТ»
141100, Россия, Московская область, г. Щелково, ул. Заречная, д. 96
Наши электронные адреса:
WWW.AST.RU E-mail: astpub@aha.ru

ООО Издательский дом «Ресторанные ведомости»
115093, г. Москва, ул. Дубининская, 90
Тел.: (495) 921-3625
E-mail: info@restoved.ru

Отпечатано в соответствии с предоставленными материалами
в ЗАО «ИПК Парето-Принт», г. Тверь, www.pareto-print.ru